華志文化

華志文化

驚帆報到

一段銀色的黌舍生涯

驚帆，是進師專後大夥請林慕曾老師幫忙取定的班名，一直跟著我們從未失色過。以前我們在學校相關活動中贏得不少獎牌和榮譽，每次都高舉著那面班旗搖酸腫了手；以後出社會教書又經常以此一名義召開同學會，宛如仍在專校團聚取樂，始終沒有遺忘我們是驚帆人。

周慶華
◎著

書內容簡介

驚帆是一艘會乘風破浪的船，也是一匹能馳騁沙場的名駒。它帶著一羣學子勇闖了整整五年的黌舍生涯，又銜名隨各人奮鬥了半輩子的事業，從來沒被遺忘過。如今回憶那段經歷，不論是大檔或是細節，都還鮮活且具深義的齊匯在眼前，註定要給出一個銀色精采的故事。

作者簡介

周慶華，嚐過師專、大學、研究所等求學生涯，獲得文學博士學位；也經歷過小學、大學、研究所等教職，現已退休。出版有《追夜》、《走上學術這條不歸路》、《叫我們哲學第一班》、《新福爾摩沙組詩》、《飛越抒情帶》、《意象跟你去遨遊》、《詩後三千年》、《語言文化學》、《臺灣文學與「臺灣文學」》、《文化治療》、《諸子臺北學》和《靈異藝術學》等八十多種書。

序：巧啊巧

驚帆，是進師專後大夥請林慕曾老師幫忙取定的班名，一直跟著我們從未失色過。

以前我們在學校相關活動中贏得不少獎牌和榮譽，每次都高舉著那面班旗搖酸腫了手；以後出社會教書又經常以此一名義召開同學會，宛如仍在專校團聚取樂，始終沒有遺忘我們是驚帆人。

林老師教我們前三年國文，但很少私會。有一回例行運動會，他逛完各班休息區後來看我們，開口就說：「我覺得還是你們的班名取得最好！」這不是在誇他自己嗎？他帶著得意的神色離去，我們隨同他的命名也在學校愜意地過了五年。

那時王天生老師教我們英文，跟他的私會特多，但全在籃球場。他喜歡跟我們打球，也很慷慨，凡是鬥牛到晚膳時間，他都帶著我們上館子，一頓酒食花了他不少錢。有一次，我們進館子撞見林老師在獨酌，王老師請他過來

合聚。他清了清喉嚨說：

「不知道他們也會喝酒。」

「當然會喝，」王老師回應，「不然怎麼能打球！」

這原沒有什麼邏輯，但在他們二人的逗趣中驀地生出了規律：就是此類飯局會消除人和人之間的隔膜，尤其是酒的功效最大。

畢業後，大家各奔西東，齊聚已不可能，即使是同學會也從來沒有過滿數。後期我的工作地換到臺東，跟大家聯絡的機會更少了。直到退休，我才再度接近，且以年度同學會紀盛詩與會（《流動偵測站──列車上的吟詩旅人》內文／《湖它一把：東海岸最詩的傳奇》附錄已收了一部分）；偶爾還就便為主辦人撰個嵌字聯聊表敬意（《風有話要說：一個東海岸新隱士的札記》註記了一些）。

我總在想，驚帆要向兩位老師報到，說我們帶著它各創一片天堅守到現在白髮上染，沒負使命。那是當年林老師所賦予而王老師所同樂的：祝我們一帆風順，也如東吳孫權同名坐

騎揚威一方。只是他們已歸道山，這等事只能
商請老天代為轉達了，我們會據地再嘶吼看看。

（原題〈驚帆報到〉，收入《散到家：徹底化散文演出
實錄》／今改題以狀五年師專全住校生活乃奇巧而不
可多得，並引兩位師長的點滴恩澤以為徵象／另書名
主標取此是為存美，而副標綴以「銀色」而非金色，
只因晉等如此已屬幸運，毋須更迭變異。這跟我詩集
《銀色小調》底封面所列內容簡介中說的「以銀色作為
修飾詞，表示不同於灰色、藍色、黃色、紅色等，有
相當的穩重性和欣趣感」頗可相互呼應）

周慶華

目　次

卷一　初生犢

入學

　　從小就不善於社交的我，居然考取師專，以後要去當老師，教很多陌生人。這是一個艱難的抉擇，曾讓我惶惑且憂思許久，最後則是貧窮逼迫我妥協了。如果不是家境不允許別作考慮，我可能會去讀高中或直接唸工商學校，從此跟那個令我惴惴不安的好為人師絕緣。

　　還記得筆試上榜省立臺北師範專科學校的消息傳開後，我父親就迫不及待地去打聽口試所得通過的關卡，領著我四處拜訪鎮內一些人；不知道他聽誰說屆時要測試體能和繪畫等項目，硬要我跟那些人討教熟悉門路。結果口試那天，只有抽背青年守則和被令蹲下站起，以便驗證沒有口吃和不是跛腳就了事，白費了那段日子的苦練技藝。

　　入學後，我一直不去想教書的事，只沈浸在學校藏書和報紙雜誌的閱讀裏。身上有多一點零用錢，就跑去牯嶺街和光華商場的舊書攤及國際學舍的書展買書；同時也受到別人文章的激發而開始寫作投稿，頓時像掙脫牢籠般的舒暢，把來時路曾懷過的當漁夫、做小生意和給人送貨等念頭一概丟到九霄雲外。

（《走上學術這條不歸路》片段／加題並略作更動
／後來才知道查驗體能或畫功是其他設有體育
科或美術科的學校所兼行的；而我讀的是普師科
，測知沒口吃和無跛腳足以勝任將來小學包班
制教學就夠了）

喬

（入學後有許多團體活動，為了區別隊伍，各班都得自取一班名因應。而有了此班名，我們也自然激起具體且更強的向心力；尤其是名稱本身新奇超眾，還會讓我們孳生一股莫名喬升了的崇高感／此地就先誌一下它的來由）

早在一年級剛入學不久，我們請林慕曾老師給本班命名，林老師給了一個很圓滿的答覆。從此「驚帆」在大家的努力中，漸漸茁壯。

為了還有很多人不明暸驚帆的真義，現在特地把林老師的釋義反映出來：驚帆是象徵著璀璨的前途一帆風順。

另一個意義：驚帆是三國時孫權所擁有的一匹名駒。人生的寫照像一匹充滿朝氣、勇往直前的千里馬。

這就是有人不曉得我們班服上繡的那匹馬是怎麼來的。簡單介紹至此，大家對於驚帆當不再陌生了。

（刊於 1975.12.5《驚帆班刊》第 2 期）

編班刊

（初進校園，感受頗為劇烈的是大家在狂編班刊，彷彿那是我們學子唯一可以展現「對外發聲」的管道。由於已畢業的薰風學長在校時曾因班刊言辭衝撞學校受抑，而影響到此一風氣的持續熱度，所以到了我們這一屆算是自貶計算的末代習尚，爾後再也罕見有此類刊物的流傳。那時驚帆也乘熱潮刻鋼板或請人鉛字打字編了兩期。當中第 2 期由班長楊田林主編，找我協助編務。我藉機用筆名泥鰍寫了一篇〈流言〉描繪班上部分同學的近況，現在省題著錄於此，以證確有刊物的存在）

　　本班同學分宿三個寢室，當中二室堪稱人才濟濟。不知諸位認識他們嗎？此十一位才子名氣甚噪，難得有這個機會藉班刊一隅讓諸位見識。

　　1號：室長兼褓姆，是個經濟學家。他深懂節儉道理，當省時分文惜如珠寶，該花時則仟佰流淌也在所不惜。他對攝影方面頗有造詣，最近花九千多元買了一架照相機，旁人頻為咋舌。他卻若無其事的說：「當你對某方面感興趣時，不惜付出任何

代價也要取得後才甘心。」

　　2號：班上較矮的一位。別看他小，人小鬼大，可是小精靈一個哩！他對各種事物都有獨特的見解，從不落人後。但他性屬內向，平常沉默寡言，對異性更是「敬而遠之」。他參加兩年的書法社，筆功相當純熟；最近他孜孜的在潛心鑽研、勤加練習，書法家很有希望由他去當。

　　3號：此人高躭，卻博得一個眾人特意送他的雅號：阿娘仔。諸位也許就要問了：「此何說耶？」原來他深得撒嬌的祕笈，露兩手已夠羨煞我們這些「男人」了。這也是他深得人緣的原因。現在他也開始拉起小提琴了。

　　4號：此人熊腰虎臂，塊頭蠻大，生得一張佼好臉孔，十足的英俊型。尤其他具有為人服務的精神，更襯托出滿腔的赤誠；同學有事請他幫忙，一句話：義不容辭的去做。但不知那位名士給他冠個滑稽的渾號，真是讓他背了大黑鍋，抹煞了一顆善良的心。

　　5號：大家都叫他「落水」，黝黑結實的身軀，是學校田徑代表隊的選手。每次參加校外比賽，都給學校爭取不少光榮，這是他在體育方面的優異表現。此外，他在音樂方面的造詣更是驚人，樣樣都

行，數不清他會的有多少！以他深厚的基礎，今年
登上管樂社長的寶座，可說當之無愧。

　　6號：現在班上學藝幹事。這下子可有他忙的
：班刊必須他絞盡腦汁如期去完成；恐怕磨到出刊
時，人也憔悴得差不多了。他對文藝有濃厚的興趣
，一直默默在努力；他嘗試投稿，「青園」曾刊出
他的幾篇習作。他說：「這只是個開頭而已。」別
以為他整日伏案，還是班籃球隊的健將哩！

　　7號：是一位身材中等，體格健壯，班籃、排
球隊選手；看他殺球的神采瀟灑極了！他是屬於樂
觀型的人，也是一位「多一事不如少一事」的準信
仰者。

　　8號：班上最魁梧的一位，也是班籃球隊最堅
強的後衛。有他把守籃下，敵隊很難一逞威風。打
從一年級開始，他就在國樂社學梆笛；如今事過二
載，給他獲得了社長的榮銜。在寢室裏，他也是製
造噱頭最狂的一位；郊遊是他樂此不疲的興趣之一
（可認識不少異性）。但他也有表現羞答的時候──
尤其在陌生女孩子的面前。

　　9號：他是名士派的人物，因有伶俐的口才和
膽量而出足了鋒頭。他在自白中承認自己很內向；
但從他的表現來看，內向完全是謙抑的說法。他的

交遊甚廣，足見他是一個能夠發揮自我的人，男性粗獷的性格他都具有了，才幹的潛力也不乏雄厚。只是他不會過分標榜自己，未了解他的人才誤認他「不過是這樣一個人」罷了。

10 號：他有一個「老大」的綽號。並非真的年齡最老，而是剛入校門時受了他的當，以後查明真相才曉得蹊蹺；但此一綽號因而根深蒂固的流傳開來。他有老成的持重和膽識，又見聞廣博且常一語道出，令人捧腹大笑不已！此外，他的數學頭腦超眾，更不失為一位人才。

11 號：本學期的區隊長。有個女人味道的名字，相反的他是道地男性化身的。如果有那位女性像他那樣壯碩的話，不被人另眼相待才怪哩！他曾推出一粒鉛球，把學校特製的一面金牌輕易的拿走，班上也沾了不少榮耀。

以上僅皮相的把這十一位介紹給諸位，相信諸位也能猜測他們生活在一起是既刺激又愉快的。而實際上，他們相聚一堂，確是不愁缺乏笑料（引例略）和可據以撰寫研究報告了。

（刊於 1975.12.5《驚帆班刊》第 2 期）

社團迷走

因為全員住校，漫漫長夜無處可去，所以學校就安排許多社團供我們參與以排解寂寥。

我挑選口琴社，但剛踏入教室就慌了：已經有一票人在那邊大吹特吹，把整個空間炒得異常熱鬧。

帶團的學長，請來外地的老師教我們琴藝。他沒怎麼歷經「初階」講授，就讓大家自由發揮。我都還搞不清對什麼孔吹什麼音，別人早已照著樂譜在演奏曲子，忽地挫折到想要逃離現場。

沒錯，我只去了兩次。第三次就以罷免的姿態告別那個團夥，並且還灰心喪志的自憐了許多年（當時高我一屆的顧誠原就吹得響叮噹；後來我跟他同校服務，他還不時取出口琴大秀演技，完全沒注意我的臉色已呈青紫／那時沒學會琴藝內心還在隱隱作痛，真是那壺不開提那壺）！

為了參加那個社團，我緊縮開銷花了一筆錢買那支口琴，如今看著它枯置且逐漸鏽蝕，驀然像要絕去一個愛人那樣不捨。最後它是莫知去向了，但我仍在為該段迷走經歷惜怨不已！

（補記）

瘋籃球

　　住校第一天，就跟籃球結緣，都因為球場緊鄰宿舍的關係。

　　最先認識的是溫百慶，然後是江朝貴和曾志忠。四人又同寢，經常在一起鬥牛。不久又有張炳杉、江國祥、陳聰明、周旭昇和紀清珍等幾位加入，可以組一個驚帆籃球隊了。

　　有了班隊，就開始跟他班球隊對峙廝殺（當中丙班王建章一人特別難纏。他手長腳長，動作敏捷，沒人對付得了；畢業後我跟他在同個學校共事過，偶爾於球場相遇單挑，我也是敗陣連連，一直奈何不了他）；也曾多次邀約黃助明（我國中時同學）領軍的華夏工專球隊友誼賽，幾乎已到不能一天沒有籃球的地步。

　　學校還有排球、手球、壘球、乒乓球等球類，隨各人嗜好去研練。只是我個人極少涉獵，一逕的在籃球場消耗過半的體力。有一天，心情不對了！緣於容易受傷且球鞋磨損太快（沒錢新購），諸多不便令我亟想躲避一些正式比賽和事前練習等規約，結果歷演出底下這段情節：

我是班上的籃球隊員，無可厚非的只要有比賽我就得上場，而且平時也要練習或自己心血來潮投個痛快。但慢慢地我覺悟到這並非長遠之計：不該花太多時間和精神去做這些戶外活動。一來學識沒有穩固，尚且要費許多心血去研究的學術思想，我才在起步階段；二來已有的某些困擾，也讓我諱疾忌醫的想割除掉它而專心於學業上。因此，本學期以來，對於班際比賽我已沒多大興趣，逐漸不合作而令隊友失去顏面。他們多次敦促，我仍毅然的予以拒絕。他們一定很不高興，我怎會突地變得如此乖張？我沒有說出苦衷和原因，就隨他們去誤解了。

（1975.4.24 日記）

　　瘋玩籃球，在我僅能勝任隨機的小競技，至於大型比賽常因體力不繼而視為畏途。即使如此，它還是讓我過足了運動鍛身的癮（其他項目都不擅長也沒興趣），連入睡都少不了它所給圓滾滾夢境的驚喜（我常夢到自己徒手在空中飛翔翻抖，酷似躬身裹著一顆籃球在絕風炫技）！

　　（補記）

語拙

專一上學期，課堂頗多異質素衝擊。有幾位明顯帶外省腔的老師，連番來教我們語音，兼測驗能否說一口標準的國語。

當中林國樑老師特別賣力，經常邊談聲韻訣竅邊糾正一般人怠惰習性，並且不忘推銷他的大作《國語科教學研究》。課間休息，還要看他抽菸大吐煙霧。

私下從來不說國語的我，早就忘光三十七個注音符號怎麼正確發聲了。現在聽那些老師一會兒翹舌緊黏一會兒唇齒輕觸，有如樂音在跳躍，大感稀奇！

突然跑來一位女老師，說要甄選語文競賽選手。她先在黑板寫上兩句話，然後叫我們輪流起來唸。有的剛開口，就被命令坐下；到了我時，很快地唸出半句，也被吼退。好像只有在都會區讀過書的幾位，順利的把兩句唸完。

結果除了楊田林被選中加入集訓行列，其他人都莫名的被淘汰擱置。一時間大家面面相覷，不知如何是好。

後來經過一番探究，終於知道那是發音不全或

出岔的緣故；於是就狠下心每天找來《國語日報》唸它個把鐘頭。半年後才勉強自我正音（至少出去教書不會被學生或家長嘲笑了）；從此也稍微脫離土裏土氣不敢多說話的窘境。

　　至如確實知悉國音的來龍去脈，已屆插班淡大夜間部中文系修習林慶勳教授所開設「聲韻學」課程的階段，前後相隔近十年的時間。那是學會一件事的代價，我差點舉白旗投降！

　（補記）

寫手夢

　　所以不再耗費太多時間於球場，除去體能不堪和撙節常用，還有一個重要的原因是我迷上寫作了。

　　從活動中心閱報和瀏覽校內刊物中，我察覺登在上面的文章並不深奧難懂；同時也看到別人經驗談裏有以寫日記來鍛鍊文筆的信條，兩相激盪竟然自己也想要動筆書寫。

　　於是就買來簿子，開始記錄每天的經歷；而對於某個議題或際遇感興趣，也試著構思完篇，然後密封寄往校內刊物或歡迎軍人學生投稿的《青年戰士報》「青年園地」。

　　神奇的是，我的稿子居然獲得刊載了。很難形容那種瞬間被震炫奮的感覺，每次都久久才能回神過來。果然找到一條出路了，先前茫無頭緒的學校生活彷彿有了定海神針。

　　幾篇文章陸續在報上露臉後，乙班楊武英（我國中時同學）見到我，半恭維半吃味的對我說：「**你也會寫文章噢！**」是啊，以往不能而現在能，這是轉變的機制使然；只不過他還不知我熬了好幾個夜才擠出一篇作品，此中艱辛遠甚過他在水池中閒

練泳技！但這已經不重要了（也毋須向他解釋）。

另外在投稿期間，發現就讀於輔大也常有文章見報的碧竹（黃燕德），已經在水芙蓉出書，頃刻又有新的念頭冒出來：我也需要啊！就這樣「出版作品」成了我終極的寫手夢，無論如何都要找機會達成此一目的。

（補記／這個夢想二十年後才實現，夠漫長了吧）

卷二　漸入佳境

課中趣

　　早上國文課，發掘老師的教法及肢體動作有點標新立異。雖然講得很慢，但趣味十足，也令人著迷。課中愛摻點幽默笑話及引證一些信疑不定的荒誕典故。近來感覺奇怪的是，他每講到吃力的地方，總是往講桌敲幾下，可能在威嚇或提醒將要跟周公打交道的聽課者。課文中有句孟子的話「人不可以無恥，無恥之恥，無恥矣」，一位喜促狹的同學把它說成「人不可以無齒，無齒之齒，無齒矣」，引得哄堂大笑，教室頓時生氣盎然！

　　（1974.3.11 日記）

　　　　※

　　挨過幾節後，便是數學課。不用說已是人心惶惶，大家目不轉睛的注視著黑板，一點也不敢疏忽，因為聽不懂非如此不可。等下課鈴聲一響才大破天荒，莫不歡欣鼓舞，脫離那苦海。

　　（1974.3.21 日記）

　　　　※

　　善於交際的江朝貴，教育概論課老師初至，慣以此話勸喻：「老師感冒，應多休息，多喝開水，少去『公共場所』。」我們深知內意，只有愛人誇

讚的老師不察，竟然欣喜望外，還自詡自得。但不管怎樣，她總是跟我們打成一片，樂不可抑！

（1974.4.18 日記）

※

中午全體出動，尋挖蚯蚓。「踏破鐵鞋無覓處，得來全不費工夫」，察至陰濕處便找著，一條條紛紛湧出，蹦跳滾動個不停，既可怕又覺活潑可愛。哇！老曾抓到的那條好長，眾人都為他道賀，生物老師看了一定也會很高興。臨堂解剖時，費了一些手續，才小心翼翼、戰戰兢兢的提起顫悸的手且遮眼惶惑的處理它，相當殘忍恐怖，大家頻為咋舌。「假慈悲」一語也不禁的從少數人口中流出，實在不忍卒睹！

（1974.4.18 日記）

※

下午音樂課，有人開玩笑，跟老師抬槓：「男人偉大，女人膽怯……」瞥見老師臉一陣紅一陣白，大聲駁辯：「難道女人就不偉大？像你不就是由母親生出的？」對方說：「沒有父親行嗎？」氣得她無話可答。此時大家情不自禁的大笑開來。

（1974.5.6 日記）

※

公民課第一節，老師按慣例是不講課的，他要我們報告過年的經驗，先是一片哄然，後歸平靜……平素缺少訓練的我，緊張得皮肉都在跳動，結結巴巴說了幾句不知什麼意思的話。

「其實也沒什麼好講的，謝謝各位。」

下臺了，又是一陣鬨笑。

「前面幾位都沒把精采的講出來，」一位同學詼諧的說：「希望後面幾位講得精采些。」他自己就這樣下臺去。

最後一位表演了一齣激昂慷慨的獨角戲，高潮迭起，我聽得渾然忘我。由於鈴聲響了，沒法再接下去，不然後頭還會有好看的。

（1974.2.28 日記）

　　　※

體育課收心操，被整得慘兮兮！老師不讓我們休息，跑步、伏地挺身……把我們操得軟綿綿、氣喘喘；還來一招最吃力的腹貼地面手腳抬高。當我翻身無力的平躺在地上時，看見碧空如洗，沒有一絲雲翳，烈陽直射，覺得好耀眼呵！

（1974.2.28 日記）

主體萌芽

　　每一堂課聽講並不全令人滿意，而對於當個學生「學不厭」來說，只有苦苦的熬下去吧！

　　以校長那天週會宣稱的「每學期的課程是最基礎的知識，必須把課內學充實了再去研究課外的」為例，這種論調只適合說給成績差且別無旁求的人聽的，其他亟於廣為吸收新知的人就會視為反暮鼓晨鐘！畢竟課內逼得太緊，很容易造成不調和現象：棄學！

　　眼前僅有一條路：捨一些會拘囿人的半死知識，而往能開啟新竅門的道路去探尋。

　　（1975.3.5 日記）

　　　　　　　※

　　「我發現二甲同學有一優點：唸書是為老師而唸的，」英文老師看了幾個同學（包括我在內）沒查生字也沒課前準備而氣忿的說：「在這太平時代，不多唸點書，要等何時？不是我愛說責備人的話，只是不能不說。看，今天的情形不是很可惜嗎？」

　　這節課我像受委屈又慚愧的合起書本，悶悶地想著：王老師你的話是針對我們這些不用功英文的

人而發的嗎？殊不知這僅是你的偏執，即使將來我會遺憾英文沒學好，也不致牽扯到老師。現在我很不願意花太多時間唸英文呵！一天中那僅有的閒時，我要看我需要充實的書。

　　我始終認為：學一樣東西，就要學得徹底；研究一種學問，也要專心去窮探。而英文明知它對我將來會有助益，但這條路我不期望走下去，我的時間不會再對我是極大的嘲諷！老師所說的「**你們是為老師而唸書的**」，我不苟同。這不啻抹煞了不被他觀察到的一面！我同情他只能見識到此，但我卻被煩悶困住了。

　　一點小刺激就頹成這樣，實在大出意外。

　　「**開朗些，好好去研究你所認為實在的知識學問。**」我對自己說。

　　（1975.4.30 日記）

　　　　　※

　　每位任課師長硬要人唸好他那一科，否則操在他手上的權柄（分數）就會讓你吃不完兜著走。

　　實際上應付課業並不難，誰都能勝任。但這只囿於死讀書的人！換成稍有遠見者，專抱那幾本多半空疏的教科書是不可能愜意在心的。還是得找尋自己想要的理想路，孜矻泛讀不懈方為正道。

這樣每天花費那麼多時間在課堂上，不調整一下策略，遲早會生厭的！

（1975.6.9 日記）

準花絮

今天我拿書去圖書館還並再借時，那兒沒多少人。我態度祥和的對管理員說：

「小姐，借書。」

「好。」

她馬上從做活中欠身走出來，還帶著親切的口吻和微笑的表情，四周很寂靜。

當時我實在有說不出的感覺。以往她的表現令人不敢領教，一副傲慢不屑的模樣，誰都會打從心底厭惡起她來。如今卻不同，在不煩忙中還跟我搭訕幾句。人心是個古怪的東西！

（1975.3.27 日記）

※

今夜，沒有月亮，灰暗的雲翳中一顆忽隱忽現的寒星閃爍著。沁涼的晚風掠過院子西邊的楓樹，聽得見窸窣的落葉聲。

這時我搬了一張凳子在院中納涼。寬敞的院落一半是沙地一半是草地，好像其他人沒有閒情出來這裏聆賞夜色和帶著旋律的地籟。他們忙碌的開夜車，或早已入眠了，明天的期中考對我們來說彷彿有那麼一點意義。

　　凝視遠方，屋宇的稜線隱約呈現著；再遠些，只有朦朧一片，看不清東西了。今天的夜景好美！就如我白天從教室出來，不經意給路旁那些扶疏的花木怔住了，那時候這麼美的景色我竟連一點感覺也遲到！我不禁要嘲笑自己，只顧為忙碌採集零散的懊喪，就像在蔚藍晴空下的一抹蒸氣，遠不及那南風的飄逸灑脫。

　　起身往操場走去，風已停了。四周高大的樹木，像呆住的巨人，引不起遐想。我的步伐放的很慢，怕吵醒了夜地安睡的眾物和水銀灯下啃書的人兒。走著走著，有意無意的想起許多事。

　　我不是一個愛尋夢的人，即使年輕人有一顆敏感的心。但有時候我也會去旁覓零碎的夢，不知道完整的夢是否也要付出代價去編織，也許吧！不過，我一顆善感的心呵，還不曾去學那熾烈燃燒著的火燄。但那愛的光芒呵，已在我心中冉冉的升起。

　　啊！今夜我不忍現在就睡去。像那顆寒星守著整個天空的岑寂，我要獨自一人無邊際的想：想到黑夜消逝，想到另一個黑夜來臨。然而，那是不可能的。明天還要考試！吼，考試你已是不可赦的罪人啦！

　　（1975.4.19 日記）

　　　　※

　　臨睡前，想起專二下快結束時，有天上完美術課，一位老師從走廊經過，趨前來問我：

「現在你們還在上美術課啊！」

「是的，剛下課。」

「你們是那一位老師教的？」

「……」

　　這下子我怔住了，答不出話來。美術老師到底姓什麼？為什麼這麼糊塗？竟然連教我們的老師的名字都不知道，太荒誕了！或許吧，學生從老師那裏學到許多東西，而老師也視這種情況為必要的影響。但就有某些老師並不關心學生。不過，我不是懷疑美術老師教學的熱忱，只能怪我疏忽。

　　到今天，我仍然不知道他姓什麼。不是嗎？還有幾位老師我也是糊塗得無以復加。

　　算了吧，真正的良師畢竟不多，這點也足以讓我借鏡了。將來要扮演怎樣的角色，有待自己去體認。

　（1975.8.30 日記）

忍對時勢

今日報紙頭條新聞：越南總統阮文紹下野。

這一辭職非同小可，越南的命運堪慮。令人懸疑不解的是，美國真的要任由中南半島國家像骨牌般倒掉嗎？阮下野時發表激昂的談話，一再譴責美國政策的謬誤，背信盟友，唾棄了諾言。南越軍士有足夠的戰鬥精神，就缺外援。而美國唯一能供給所需卻不賑濟，使得南越軍士的胸膛越磨越薄。當一尖刃再刺進來時，已沒有抵擋的能力了。

1975，這年帶來的變化夠驚人了：阿拉伯國王費瑟被刺死，高棉淪為共黨統治，我們的領袖不幸駕崩，越南總統倒臺……這能讓人不怵目驚心的麼！

我不是對局勢有多大的了解，但對一樁樁令人擔心不已的事件一再冒出，總是心存恐慌，爾後不知再衍發成什麼樣子。難道要祈求老天保佑麼！

（1975.4.22 日記）

都市邊緣人

　　學校雖然位處臺北市,但懸在大安區和平東路尾端,遠離市中心,也自絕了跟一些熱門人事物的交會互動。

　　後者如我們到了中後期國內所發生的鄉土文學論戰,已經打得火熱了,我們都還罕聞有關的聲響;師長們也從不提那些涉及文化變遷的議題。等我上大學後,才慢慢抽絲剝繭把那段空白填補起來。

　　緣於校舍營建採封閉式(操場居中而繕房分布四周╱另加圍牆阻隔外界),緊鄰稍多人氣的僅有一條臥龍街(前後夾雜不少飲食店,晚間學校管制燈火後,我們翻個牆就可以去那邊宵夜),很少遇見外頭的人事物來縈會激盪;以致生活在此地的人多半可以「自得其樂」或「自安所處」。

　　偶爾週會請到反共義士大談他們投奔來臺的經歷,因帶有充實訊息功效而頗能引發大家的興味。比如飛行員范園焱辭采豐茂的講到中共把文革勞改稱為「修補地球」╱百姓飢餓吃樹根脹死叫做「壯烈成仁」等事,就令人印象深刻而重又勾起小學時被老師誨教「解救大陸同胞」的莫名想望。

　　顯然進駐芝園內部的人（芝園是學校所在地的盛稱），差點成了幸運的籠中鳥（如果不是大家出社會後將理該聞見的往事從新知會一遍，那麼就真的要貼上這個滑稽標籤一輩子）。那時候繁華街區離我們有點遠，政治場域竄亂的劇變事也沒跟我們扯上關係，大家儼然是都市邊緣人，仰望覬見的只是天空一道短暫的彩虹。

　　（補記）

吳郭魚

校內盛傳有一條吳郭魚，吃不得，也少跟牠靠近為妙。

那是三個主管的合稱：分別為訓導主任姓吳／總教官姓郭／總務主任姓張名字中有俞字（諧音魚）。他們管人都很嚴，從不假辭色。

當中吳姓訓導主任瞧人常用斜眼，且目露劍光，看得人不寒而慄；郭姓總教官有一次把我叫去狠訓了一小時，因為我在《青年戰士報》「青年園地」發表了一篇帶有諍言學校伙食的〈加菜〉，他並不在意我文章中說的一些好話，可見他遺大務小的一斑；俞字總務主任善罵承辦庶務／會計／出納諸事的人，以及對學生關於公務的求助老是愛理不理等，全未給大家留下好印象。

吳郭魚頭尾兩端的先生，我個人都沒有機會接觸，耳聞一過也就算了，不曾前往多觀察一些。只有中間那位長官訓我時，我注意到了他駭怕丟掉官位的緊張樣，就是激切的連問了我兩次「**你還投了什麼文章**」！為了不影響他積多欠教毛病被警告，我不遲疑的回答「**沒有**」。其實，我一直在投稿，什麼時候再跑出一篇又帶刺的文章，我也沒把握。

　　比較好玩的是，輔導我們的李受瓚教官，他代傳喚我去，又送我出來，並一臉笑容。我在猜他認為凡在吳郭魚一邊的人都是這副德性：每天緊張兮兮，才發生一點小事就擔心天會塌下來。像他愛護學生特殊表現都來不及，怎會胡亂找碴！

　　我所以這樣說，是因為李教官只要看見報紙刊出我的文章，就將它剪下貼在公佈欄給大家參考，從來沒有糾謬或訓誨什麼。而他的關心，我最常聽到的是這句：「很久沒看到你的文章了，加油啊！」

　（補記）

書清和稿廢

前三年課餘，常花費在編刊物／打球／參加社團／郊遊／交異性朋友／上成功嶺受訓等；後兩年課中被選組／試教／畢旅／實習佔去大部分心力，而課餘則多了社會服務／考預官／木章訓練等項目，基本上不太有充裕的時間做其他事。

但在我個人始終沒放棄閱讀／寫作此一可許的終身志業，以致這兩樣就像一條線貫串著我五年的黌舍生涯。只是回看相關的誌記，竟然讓我訝異不置！因為我讀過不少書也寫出了許多文章，它們幾乎已經從記憶裏出清以及莫名自手中廢棄過半；如今所得到的反饋，僅一觸處陌生／經略稀薄而已（少數延續至中年的例外）。

當中閱讀的書，略去的部分不知有多少，註記只存這些：《風雨中的寧靜》、《野鴿子的黃昏》、《怎樣步入人生》、《拒絕聯考的小子》、《創業的座右銘》、《碎片的吶喊》、《教育概論》、《奇妙世界》、《文明的歷程》、《盧騷懺悔錄》、《天地一沙鷗》、《羣眾心理學》、《旅美小簡》、《稚子心》、《基本教育》、《西潮》、《國學綱要》、《十字架的光輝》、《班會之死》、《為什麼我不敢告訴你我是誰？》、《墨趣集》、《兒

童讀物研究》、《飄》、《人子》、《咆哮山莊》、《尹縣長》、《基督山恩仇記》、《白泉》、《讓風箏上升》、《水幕》、《談兒童文學》、《班代表》、《腳印》、《天讎》、《夜快車》、《狂流》、《北極風情畫》、《塔裏的女人》、《異域》、《老殘遊記》、《水滸傳》、《三國演義》、《紅樓夢》、《儒林外史》、《麥田捕手》、《西洋小說選》、《文學初探》、《文心》、《約翰·克里斯多夫》、《中國哲學史》、《人生哲學》、《中國文學史》、《金色時光》、《詩的表現方法》、《怎樣編作壁報》、《怎樣運用自學輔導法》、《禪與生活》等。它們分散在五年的日記中，內容則十有八九淡出腦門了。

　　至於寫作，退稿被我撕掉的比登出的多出數倍，還留著篇名的有：〈我的回憶〉、〈郊遊〉、〈忿懟與嫉妒〉、〈戀慕〉、〈暮靄〉、〈做揶揄者的心聲〉、〈挽不住的友情〉、〈逛書城〉、〈懷念〉、〈海的眺望〉、〈靜靜的世界〉、〈學校學生的讀書風氣〉、〈雷雨〉、〈北窗隨筆〉、〈暑假記趣〉、〈往事〉、〈書展〉、〈K書先生〉、〈往事〉、〈家書〉、〈廚師父親〉、〈嶺上那段日子〉、〈一朵紅色的康乃馨〉、〈蛻變〉、〈畢業旅行記盛〉、〈守父靈一月記讀後感〉等，其餘都忽溜過去了。同樣的，它們也無從給我驚遇裏頭的字句思路（況且看篇題都深感平凡可厭）。

　　這越見突進增長的情況，乃是多年後廁身大學／研究所自我鞭策成的。難以盡述此中機緣（有些情節也不及備陳），只覺得那五年的經歷宛如前奏，引我順當的跨入了一曲別無他想的文字生命樂章。

　　（補記）

卷三　校外活動點滴

獅頭山初遊

（專一寒假，思遊興隆，於春節期間跑去頭份
找溫百慶，想要一償暢遊獅頭山的願望。兩三
天中受到他家人盛意的招待，以及他數位老同
學的深情溫慰，他們請我看電影、吃宵夜和陪
伴爬山，厚誼難忘。不克盡述細節，僅誌臨景
所見）

晨曦微照，還帶點露氣，兼有微寒朔風。眼看
今天氣候是好不起來的，但也不能延緩我的計畫，
即刻啟程前往目的地，風雨無阻。

搭車來到此處，不意風和日麗，朝氣喧騰，彷
彿有上天賜給福份，得以歡渡一段好時光。入口那
長長的階梯，宛曲有如長蚵伏轉。上去路邊儘多參
天古木，烈陽照映尤為嫵媚。山氣柔和，拂面舒暢，
心情無比開朗。

當中經過不少廟宇高塔，體式宏偉壯麗，令人
流連不已。站在坡尖俯瞰，羣山萬壑有如一幅絢美
的畫，頻增遐想思闊。秀麗處，猶有萬佛臨堂，馨
味盡出。晨光夾著一道道白煙翻滾，異常驚炫，更
令人徘徊不去。

　　爬至頂端曠觀，頓覺虛無縹緲，一切可望不可及。遠山則被霧靄籠罩，變化萬千。路程最後有一道溪水，潺緩流過眼前，煞是悅耳，讓人陶醉忘返。

　（1974.1.27 日記）

蘭陽行

今年春假，我有一個計畫：跟幾位同學去宜蘭玩。這也是開學不久就提議的，而今天就要啟程到張炳杉家住宿而後再前往各處遊覽。

大夥行李整理妥適後，張炳杉、朱容樂、曾志忠、陳金得和我一行五人，乘坐下午兩點多的火車往蘇澳方面去。

我們在羅東下車，先看去年棄師校而重考高中的賴政宏。進到窄巷後拐入一間老舊的屋子，這就是小賴的家，小賴及他父親迎迓我們。彼此好久沒見面，有許多話想講。本來是要邀他明早一道去玩，而我們就要告辭。沒想到小賴父親硬要請我們吃飯，三推四謝，仍回絕不了他的盛情，就把心一擺：好吧，有請就吃。

覓了一家餐館進去，菜一盤一盤的端上來，好豐富！賴先生說：「這些都叫出來了，你們儘量吃，一定可以讓你們飽的。以我過去的經驗，每次給人請客都不曾飽過，所以你們要吃得飽飽的，不夠再點。」說來我們還蠻有緣份和福氣的，剛來就享受到一餐永難忘懷的晚飯呵！

吃到一半，大家交談甚為投機；賴先生沒把我

們當成外人，而小賴更饒趣味。不久，小賴的母親、妹妹也來了，談話又進入另一階段。小賴的母親看來好年輕，起初我還以為是他姊姊呢！他妹妹也秀麗極了，實在是不多見。後來兩個大人先離席，要讓我們好好的敘舊談心。

有時我們將話題轉向賴小妹。她羞紅的臉頰、開朗的笑靨，更襯托出她的輕巧美慧。志忠正好在她的對座，表現得最沈默，誰知他眼睛早已瞧得著迷了。由於她有事要去學校不能再奉陪，就舉杯向我們致敬，並表示她要先走一步。她又笑了，笑得好可愛純真呵！志忠今晚「表演」的也夠美了。他說：

「當她舉起杯子時說『敬各位哥哥』，又向我點了點頭，我差點把飯碗撥掉在地上。」

我們笑得合不攏嘴。他還說等以後有機會要交到她。我調侃他：「你已一見傾心啦！」，他回應：「不，是一見鍾情！」（意思不是一樣嗎）

我們很愉快的乘公車去炳杉家。覷著暗黑的路，邊走邊談笑，很快就到了。這一晚大家興奮極了，久久不能忘卻。

一大早起來，還發生了不少趣事，是關於昨夜的。

　　在炳杉家吃過早飯，大夥兒信步走向田野。晨間的空氣異常新鮮，尤其是在鄉下，「**仰望靄靄雲翳處，倏地一破露金光**」。昨夜下過雨，今晨更加和煦明媚。田壟、碎石徑上已有不少人在幹活，我們就像一羣不速客，招來他們驚異的眼光。

　　炳杉領我們走過田埂、涉過小谿，向一片菜園走去。朦朧的遠山似乎越接近我們，也越發明朗蒼翠。我們參觀了張家的工作結晶：一畦畦等待豐收的菜蔬瓜果。

　　隨後前往榮民醫院。徒步走了一個多小時，經過不少屋舍，四周盡是稻田，秧苗高長。不寬的道路，沒什麼行人，偶有公車駛過，揚起一陣塵土，即刻消失。哦，田野美呵！詩人筆下難怪會有那麼逼真高逸的作品。

　　在路上，拍了一張合照，背景是一潭湖水，一片綠草叢樹。

　　榮民醫院坐落山腳下很僻靜的地方。我們經過中興門時，有幾隻麻雀在簷上吱喳蹦跳著，好像在歡迎人。此處一切設備和美化，井然有序且富有藝術氣息，確是退除役官兵傷殘療養的好地方。

　　我們鑽過別有洞天，裏頭漆黑一片，甬道窄小得摸索才能到達彼端，重見天日。我們也爬上由石

堆砌成的「毋忘在莒」在上面拍攝。幾個老兵坐在石椅上異樣的看著我們，一邊聆聽從傳聲器播放的精神訓話。我們找不出適當的對話，只能默然的走著、瀏覽著。這裏的環境衛生堪稱絕佳，譽為世外桃源也不為過。石徑旁嫣紅姹紫的花朵，引人醒目；千奇百樣的裝飾，令人叫絕，這些都是他們精心的傑作。而有些平常不易見的花卉，他們也都匠心獨運用藝術的手法栽成一時的佳構。

炳杉帶我們去划船（向他國中同學借的）。有個不知名的小湖，水面靜靜的，岸邊雜草矮樹叢生。我們推下兩艘漁船，叫比較有經驗的人撐篙。起初船身顛搖不穩，大家有點緊張；不久習慣了，就自然些。

一羣白鵝悠然的在湖上漫遊；善潛水的水鳥也在另一邊滑行，濺起絢爛的水花，好看極了。

我們是閒漂的小舟人，此刻才領略享受到城市所沒有的豪情和美景。金得說：「假如瓊瑤來這邊玩幾天的話，不知要寫出多少文章！」

有條濁水將上源湖水夾混的灰沙，急促的滾流向海和浪相會。金得見景觸情，吟起李白的〈將進酒〉，給大家增趣不少。在海莊嚴的睥睨下，我們成了宇宙間最渺小會玩的動物，甚是稀奇滑稽

。

　　我們下船漫踱著,聽炳杉同學講述海的故事和
搏鬥海的經歷,新鮮動人!回程時,反看留下了一
串好長好深的腳印。那片無垠的沙灘,跟海同行,
有海就有它,有它就有海,而我們把足跡烙在上面,
不知是唐突還是懿行。遠處有許多青衫紅袖,他們
也是在找尋海的奇蹟麼!

　　我們又划著船返回原處。告辭時,對方還依依
不捨的挽留我們。因為必須趕回去,所以還以由衷
的謝忱。

　　下午跟羅洲水及他乾姊和賴政宏會合,一起去
冬山找楊茂樹。走了一段相當長的路,已感疲憊不
堪。前頭羅洲水及他乾姊同是田徑選手,一拉距就
很遠;要不是他們邊走邊等,恐怕我們都沒體力再
走了。

　　晚上去南方澳看夜景(楊茂樹不在家,未遇)。
回到炳杉家,大夥累得快不成人樣。今早起來,元
氣還沒補足,但也覺得舒服多了。

　　外面天氣已有轉變,看樣子要下雨了。我們束
裝完畢,即刻啟程去另一目標:五峯旗瀑步。坐車
到礁溪跟丁班的游慶珠她們(昨天巧遇相邀)會合
向目的地出發。

　　雨勢在山中漸呈綿密，形成一個龐大的天網，諸多不便，難以盡興玩樂；況且山路泥濘，狹窄崎嶇，非得費上加倍的力氣不可。

　　五峯，我沒去詳探到底如何，但那兩潺瀑布卻賜給我不少靈感，駐足觀賞，久不離去。看它磅礡銀白的水花，能激起無數的纏綿情懷，我對它有種難以言喻的崇敬和愛慕。

　　重回山下，雨勢才稍歇。我們便去礁溪公園參觀吳沙紀念館。由於時間尚早，大家商議到大里看看。

　　那裏的天宮廟新建了凌霄寶殿，氣勢非凡，頗異於我小時在分班唸書所見的景況。只不過它不大能引發其他人的興趣，隨意瞧瞧就乘坐四點多的火車回炳杉家了。

　　我們來此已玩了兩天，去的地方也不算少，相信大家都有一些收穫。這第三天本來計畫要遊羅東梅花湖（是騎鐵馬去的），但晨間卻下起雨來，只好打消念頭。

　　告別了張伯母他們。這幾天安宿在那裏，還享饜豐宴，極為感激。我們也沒送人家什麼，僅領了一份盛情，永銘心中。

　　炳杉不留在家裏，跟我們一道返校。車子過了

宜蘭，天氣逐漸晴朗；到臺北後，好一個艷陽天呵！
但我還在懷想細雨綿綿的蘭陽……

　（1975.3.28～31 日記）

觀摩

　　晌午，大夥冒著炙熱的艷陽，朝熱氣騰騰的專車上擠。車輪滑動了，將我們載往幾十里外的八里國小。

　　今天要參觀五丁學姊的教育實習。該帶領教授是我們班導王鴻年老師，他很希望我們不要錯過這次觀摩學習的機會。

　　目睹學姊們重整美化過的校園，一股欽敬油然而生。實習辦公室，擺滿了餅干菓品，盛意的招待我們。她們暫卸工作跟我們閒話家常，言辭滔滔的將兩週來的經歷遭遇毫無保留的陳述出來。實習校長含蓄幽默的為我們簡報相關業務，詳實耐聽。

　　接著細聆王老師的敦勉。他說教育實習是將整年內最重要的教學工作措施，濃縮在這三週實踐，也就是這三週的份量要超過平時的幾十倍。這是接收全校的實習，以致剛開始就得花費甚多的心思勞力去完成正務。當中教室佈置、將全校的財產給予分類編號（以便實習結束後交還學校）和運動會的籌辦等幾項，特別繁重，讓她們趕夜趕早的傾注心力，一天只有簡短的睡眠，連梳洗進膳都在衝刺。這不是為了一時的榮譽，也不是為了短暫的效果，

而是要砥礪出適應將來工作的能力；以這次的經驗作為日後教學的圭臬，去開拓教學生涯的荒園，期能勝任愉快。

聽了這番話，我像一頭羔羊驀地撞壁後，突然警醒自己還在迷惘，我該有何感覺？的確，老師的用心是很良苦的，平時百般叮囑我們，還不是要我們把教育當作神聖的工作，不計個人得失的使它能夠欣欣向榮。小學教師的工作誠然艱苦，但不是束縛一個人前途的終程。

隨後參觀了大部分的教室佈置，學姊也為我們講述分析了不少。最終在實習成果展覽室，瀏覽她們精心的傑作和準備的菁華。一張張活潑純稚的小臉蛋來回穿梭，我們真不知如何答謝簇擁而至的問候。

「他們有時很調皮，拿他們一點辦法也沒有。」陳學姊認真的講著：「他們經常不繳作業，還跟你調侃搗蛋，無奇不有的花招都出籠了，實在應接不暇！」

在她們的實習簡報冊子上，發現了幾則趣事：

「老師要他們唸『調侃』，他們唸成『調況』，更正後索性唸成『調兄』。老師喟嘆道：『孺子可教也，有邊讀邊，沒邊讀中間！』」

「實習老師來教我們，我們很高興，因為他們是來『殺』我們的。一位學生在作文簿上寫的（把救寫成殺）。」

還有不少趣事，讓人不禁解頤。說小學生傻笨，那裏見得？對於新老師，他們只不過好奇想表現罷了。從另一個角度看，那些都是可造就的人才呀！

下午，她們沒課（週三進修時段），要帶我們到附近海灘玩，我們樂翻了。這學校傍山偎海，風景宜人，說它可比世外桃源也不為過。

在一條小溪旁，有人用手指劃了一個三角形。底邊臨水，水迅即沿指紋的細溝灌入又從另一緣流走。這樣往覆循環，觸動了我的靈感，乍時想到：遺傳、環境、教育，是一個人成功的三大條件，就如這三角形三者都具備，渾然一體，潛在的成功不就可預見了麼！

此次參觀，沒想到有如此豐碩的收穫，讓我眼界大開。未來該如何做，已是心裏有底了。

（1975.4.23 日記）

打工仔

（四個暑假，除了第三個依規定去成功嶺受訓
，其餘都在打工賺錢，貼補家用。分別為陳兩
家邀約跟他去萬華一家他舅舅開的電鍍工廠
打雜／周清龍宗親介紹救國團主辦的暑期工
讀在居住地瑞芳清潔隊服務／自行參與縣府
主辦的暑期工讀到金瓜石臺金公司當抄寫員。
工作中，多見了一些世面。現在摘錄幾段誌記
，以證所是）

九時許，老闆要我隨車去淡水送貨。淡水沿路
的景色我早已嚮往了，今天這難得的機會，豈不興
奮麼！

車子一直駛往目的地，純然可以覽遍路邊全景。
到分岔路上，瞥見幾幢樓房聳立在路旁，好巍峩壯
觀！叫「中國文化城」，確是名副其實。外觀堂皇
富麗叫人羨煞，相信內部結構會更引人入迷。

不一會兒，車子已進入山區，輕便的在路上盤
旋。兩旁樹木蓊鬱，翠綠可掬。天空是一片澄藍，
偶有雲絮，也擋不住陽光的凜勢，才浮現便告消失。

　　逕行不久，似乎看見「復興崗」。這名早已聽聞，今天親睹不免有些惶惴，不知裏頭藏了多少神祕事物。接著在「中國電影製片廠」停車。這片廠看不出有什麼特別，只覺後山形如可為攝影的背景而已。

　　續往淡水，河將臨海，波紋不興，在豔陽照耀下閃閃發光。看不清出口處，也沒閒時去探測，卸了貨便折返。

　　今天可說是一次乘車旅行，懷了滿腔歡欣。

（1974.7.13 日記）

　　　　※

　　徐先生說今早要帶我們上金瓜石，正逢下雨，廖又沒來，他要我們三位暫時跟著警察巡查市場。

　　原先我很不自在，熟識的人那麼多，好像看什麼珍品似的幾十隻眼睛移向我，想擺脫也無能為力。最後索性順其自然，管他們怎麼想。

　　水果攤一位攤販較倒楣，警察勸她將髒物打掃乾淨，卻辯解嘮叨不已。警察火大了，以不服勸告為名，給她開了一張告發單，帶往派出所，耽誤了生意。

　　這種陪看的差事（不知什麼時候也要被命當二把手），我失望了：以後還有什麼臉住在市場邊！

（1975.8.6 日記）

　　　※

　　中午跟徐先生上石山里（公所祕書的命令）。

　　原以為是為巡查衛生而去的，不料踅了一趟回來，什麼事也沒發生。

　　祕書看我們幾個閒閒的，就差遣我們去兒童樂園給新砌的圍牆刷油漆，老大不高興，但也得做啊！瞧他一副高姿態，很難心存敬意。

　　我又失望了！原想此次工讀機會可以學到一些東西，卻事與願違。或許吧，這也算是一種經歷：一種泛白的經歷！

（1975.8.11 日記）

　　　※

　　今天仍然抄寫考績名冊，伏案太久了，兩肩及胸部都在痠痛。有位女職員過來對我說：

　　「慢慢做嘛，人事室事情多的是，何必那麼趕？」

　　「我看他抄得好快。」另一位附和著說。

　　登時內心一陣慌亂，但隨即又恢復了，便辯解道：

　　「這些名冊正趕著要，辛苦一點沒關係。」

不敢偷懶，只希望做好後有段空閒休息或看點書，而對於她們善意的慫惠只好心領了。

（1977.7.13 日記）

　　　　　※

填著一張張員工的體格情狀，無意中發現得矽肺症或矽肺結核的大多是那些礦工，心頭頓時掠過一陣驚懼，想到瘦弱的父親還在別的坑中勞動……呵，不敢想下去！那幾字在眼前無限的擴張，彷彿看見父親也得了此症，抄寫的手不由得顫抖著，只感覺悽傷從四面八方汹湧過來。

坐在辦公桌前的人，可曾想到那些冒著生命危險在奮鬥掙扎的人？他們不該有理由再抱怨；這世上比他們苦上百倍的人太多了，那些人可曾抱怨過？

今後將會駭怕再聽到生活舒適的人喊冤喊苦。我鄙薄他們的厭煩，那無甚意義！

（1977.7.21 日記）

折翼天使

這學期參加社會服務隊，今天首次去輔導災胞的兒童。有人對我參加這項工作感到懷疑，因為他們早在一、二年級就去了，而我到三下才加入。我想他們不是懷疑我的熱忱，只是對於我突然參與感到詫異罷了。

晚上六點半，從學校出發，搭 39 路公車到臺北兒童福利中心。我和另外五個分到第一家：這些兒童都有設備良好的住處，一位年輕的阿姨當他們的家長，跟國際兒童村類似（但比這兒單純一點）。

負責人說，一年級比較難輔導，由我接任，因為我脾氣好一些。輔導那一年級兒童我都無所謂，我喜歡多嘗試。

跟那位張阿姨寒暄幾句，小朋友開始要做功課。我輔導兩個一年級（男的叫陳祖豪，女的叫陳慧心）和一個二年級（叫胡欣欣）。顯然那個二年級的懂事些，而那個男的則較木訥說話含糊不清，張阿姨說他聽力差，別人講太快他無法適應。叫陳慧心的起初問她話都不答，顯得有些羞怯。我試圖引她說話，不久她自動說了，還不安的搖晃著，淘氣

又頑皮。問她有沒有問題，或想教她一點新的，她一句話就給我否定了：「不要！」真拿她沒辦法。

　　兩個女生今晚都沒做到作業，把全部時間花在講話和不安的動來動去。沈默的男生，幾行字寫得既粗又慢，被女生吵也不會生氣，表情一直是那麼呆滯和平淡。我發現他一個豬字寫錯，馬上跟他說：「你的豬耳朵不見了。」順便指給他看，要他改正。他改好後，抬頭對我傻笑，還小聲的說：「小胖豬，嘿嘿！」哈，小胖豬，他真有點像小胖豬，皮膚白白嫩嫩的，眼睛小小的。我戲謔他的模樣，他又不說話了。

　　那兩個小丫頭一個咬著另一個耳朵在講悄悄話，講完嗤嗤的笑成一團。我回頭注視著她們，看她們手上拿著一本書，赫然寫了三個歪歪斜斜的字，定睛一瞧，居然是我的名字。這兩個小鬼真頑皮，我牛皮紙袋內一張名單被她們拿去看了，並大口唸出（唸的音也不正確），還笑得像做了一件有趣的事洋洋自得。我暫時不理她們，逕自坐到男生這邊。我們又互相看著，我再抿起嘴假裝要生氣的樣子，不料她們卻一陣爆笑：「你看，他那兩撇小鬍真好笑！」兩個小鬼竟然把興頭轉到我的鬍子上面，而且越笑越起勁。我一個表情，她們就模仿。

我說：

　　「你們再這樣，我會生氣哦！」

　　「不呢，你才不會生氣啦！」

　　虧她們識人，知道我不會生氣，才這樣跟我促狹。也不清楚她們功課上有沒有不懂的地方，整晚就如此誕妄的過去了：真懷疑我是來輔導她們，還是被她們輔導！

（1976.4.28 日記）

小壯遊

（寒假很無聊，決定來一次南行，看看外面的
世界。春節期間在基隆幫我六叔他們做油湯生
意。我六嬸給了幾百元，加上我母親補充的，
勉強可以作為這次的旅費）

今天偕楊田林先到頭份為不幸病逝的溫伯父
送葬，然後去大甲找陳金得。他帶我們到鐵砧山走
走。那兒有個靶場很大，風景不錯，空氣也新鮮。
金得說：

「過去我常在福中不知福，到了最近才發現這
裏的確很美！」

我們也一致讚嘆這裏的景物：眼前晚霞紅映，
視野極處茫茫蒼蒼，大甲街區若隱若現；還有那黛
綠的山巒，沁涼的山風，圍著我們給看的心陶陶然
。

晚餐真是豐盛極了！伯父母風趣又熱情，比我
們家人還親切，真羨慕金得有這樣幸福美滿的家庭
。

飯後決議去大安找黃見昌和陳聰明。雖然夜色
很暗，幾顆寒星和一鈎弦月散發出微微的光亮，但

我們三人興緻勃勃的踩著鐵馬直奔黃家。

　　二老一樣有趣，要我們住宿一夜，明早再走。因為得去陳家看情形再決定，所以就先行答謝。在類似四合院建築的廳堂前，黃家人跟我們合照一張相留作紀念。那門楣上工整的嵌著「江夏家聲」四字，寓意深遠，實在是耕種人家自尋生活樂趣的寫照。

　　到了陳家，又是歡喜逾常，大家暢談了一個多小時。

　　今夜決定投宿黃家，明早啟程再往嘉義，希望相約的人都會在住處。

（1976.2.9 日記）

　　　　　　※

　　車子駛入嘉南平原，廣袤的綠野平疇，一眼望不盡。從臺中大肚以下，稻苗已經播種了，烈日下幹活的莊稼漢並不多，也許現在還不到農忙時。

　　天氣比北部熱多了，炙陽照得人直冒汗！好不容易熬過了三、四小時，到了新營，再轉搭公車去新塭陳永昌家。

　　陳家就位於新塭國小內，他們在經營學校的福利社。

　　很湊巧永昌剛從外地回來，才碰面就喜不自禁

的站在門口高談起來，竟忘了我們背負一身疲憊而來，沒引我們進屋內歇會。

說通了，方悟及引我們入屋。放下行李後，由他帶領四處去看看。此地是鹽田區，無垠無涯，但見一堆堆白中滲黃的粗鹽矗立著，曬鹽工人忙成一團。永昌說：

「這裏的人都很有錢，在全省內是數一數二的富有村莊。」

觀看他們賺了錢不在外表求滿足，仍舊住古老的房屋，未見一幢新的建築，這樣沒存錢誰都不相信。

隨後去八掌溪一座吊橋欣賞河景。橋約莫三百多公尺，不斷有機車往來，我們沒走完全程就跑步返回，累得氣喘吁吁。

永昌不停傾訴上次這裏海水倒灌的災情。現在我們只看見牽牛花綻放路旁，還有一輛老牛車擦肩而過。坐在車上的人，表情木訥倨傲，全然不理會牛隻已經吃力得步履蹣跚。我們對那人怒目一視，他依然無動於衷。

回到陳家已四點多了。我們要等伯父回來練騎機車。結果學了幾分鐘，還未熟悉門路，就被召喚進晚餐了。

（1976.2.10 日記）

※

今晨五點就起床，天色還很暗。伯母老早把餐點準備好了，讓我們進食，可真麻煩了她。

暗中摸索，到車站搭六點的頭班車出發。幽靜的田野，還未於曙色中醒來。軋軋的車聲，通亮的照明燈，導引著每隻眼睛向窗外逡巡。漸漸地曉色由昏黑轉為灰青終至明朗，不過一小時的光景。雖然看不到日出，卻在珊瑚潭見著太陽升空的景象。

珊瑚潭舊名烏山頭水庫。未臨雨季，湖面降低，露出狀如珊瑚甚為明顯的小山丘，一輪金陽透出雲層，投射於水中，恰似一塊鍍金沈入閃閃發亮。此地風景不錯，大夥興奮過度，竟啟動閑人的遐思：

「要是我有一間小屋座落在這裏，不知多好。」

「如果有個伴，我一定帶她來更有情調。」

「……」

這是在思源亭休憩時，你一語我一言，頻發噱頭。整座湖彷彿只有我們的聲音，響徹山崗，遍布水涯，好不快樂。

沒想到還有一個白河水庫更為壯闊綺麗。盛開

的聖誕紅，像一片火海，令人讚嘆！還有不知名的奇花異卉，經人工修飾剪裁，如詩如畫，好一處世外桃源呵！

走走停停，烈日當空，汗流浹背，疲憊已甚。先到大仙寺洗把臉，才繼續趕路。開始換一道陡坡，黃泥堆如厚枕，崎嶇難行。此時步伐已呈凌亂，還走這種路。金得有感而發：

「那些乘計程車上來的有錢遊客，專門欺負我們這些窮人！」

說的也是，車一過，塵土飛揚漫天，令人更加難受。

嘴裏雖然唉聲嘆氣，心內卻堅毅無比，不走完全程絕不罷休，再累也要嚐嚐累的滋味。

到了碧雲寺，莽莽撞撞找尋奉茶處，狂飲數杯方為暢快。

無意中發現左門上有副對聯：「客至莫嫌茶味淡，僧居只有菜根香。」句甚幽默，我跟田林相顧而笑。此笑是為那聯語，也是為彼此被酷日烤得熱氣騰騰、紅光煥發。

再前行，便臨水火洞。叫了四瓶阿波羅橘子汽水，欣賞那天然燐火，無煙有焰，旁邊又有一小窟燙水，火源不滅，甚為奇觀！

　　還走四公里到目的地關子嶺。稍作休息，就搭車回嘉義。

　　幾經輾轉，方從嘉義進趨北港；又是一陣摸索，才跨入土庫，剛好趕上末班車。往臺西的公車，終於開到馬公厝，張文成已在這裏等了（事先說好，果然不爽約）。

　　他家可真好。伯父母親切的招待我們，享用了豐盛的一餐；又是全身沐浴，痛快淋漓，莫不大叫過癮！

　　今夜投宿張家，朱容樂已先到。

　　（1976.2.11 日記）

　　　　※

　　昨天玩得很累，今早起得晚，十點多才出發到褒忠找曾志忠。

　　先在街區掛個電話給志忠，不久他趕來了。只有一輛機車，要分三次載。後被載的跟著走一段路，陸續到了他家。

　　午飯給他們招待，仍是一頓滿大佳餚。也許稀罕吧，每到一個地方都是如此。我說我們是來遊玩的，反變成給人家請客的，大出意料之外。

　　沒逗留多久，又往臺西去。臺西有趙文化和丁振豐在那裏。

抵達時已是傍晚，夕陽餘暉正漸漸趨微。一行八人，騎六輛自行車，有的互載，去海濱賞景。

說心情多輕鬆就有多輕鬆，說多瀟灑就有多瀟灑。面對無限美好的夕陽，看著它徐徐降落，像一塊烙紅的鐵屏，多麼的燦爛誘人。文化的相機，總算為我們拍下了永久的回憶。

迎著晚風，送走落日，天邊的淡霞為我們譜出了一闋交響曲。騎士隊，我們人生的片段，有如此美好確是難得。

他倆僵持不下，爭著我們到誰家用晚餐。結果先去丁家，後到趙家。告一段落時已夜晚八、九點了。

回到文成家，不料江朝貴也來了，今夜又可大鬧特鬧了。

（1976.2.12 日記）

※

一夜匆匆相聚，大早又要分道揚鑣。

在張家時，伯父母和文成把我們照顧得無微不至，非常感激。我想大家都有同感，每到一個同學家裏，彼此的感情又拉近了：煩惱盡忘，只留住那永恆的快樂。

今天我跟金得同行南下找張簡茂森。

到高雄站下車，摸不著路，坐計程車去客運總站搭往林園經鳳山的班車。這種客運車可真會嗆人，比臺北的公車還嚴重。忍受了一個多小時才晃至昭明站，下車後也是東問西問。

終於皇天不負苦心人，找到了張簡家。伯母一眼見到我們，就熱情的擁過來，談得很投機。

茂森在田裏灌溉，我們去找他，他弟弟帶路。到達時，他正站在田中啃甘蔗，只有他一個人。我問他：

「不覺得寂寞嗎？」

「怎麼會！」他說，「習慣了，我倒喜歡這裏。」

已是黃昏，夕陽染得西天一片通紅，燦爛奪目。茂森砍了幾根甘蔗給我們，大家就在原地啃起來，還邊聊天。

迎著晚霞，滿心忻愉，回到張簡家吃飯住宿，懷念情思頓起。

（1976.2.13 日記）

※

茂森帶我們遊澄清湖。

來到高雄，為的還是心儀已久的澄清湖（大貝湖）。現在走入它的懷抱，我有點激動，也想盛讚

。上空陽光金燦，猶如迷人笑靨，恭候我們的來臨
。

　　在富國島傾聽澹澹寒波的顫動，看九曲橋上穿
梭的遊人，上中興塔頂眺望高市全景……唉，筆拙
！老是描繪不出豪邁於心中的一股激情。

　　遊累了，澄清湖啊，感嘆何日能再投入你那絕
俗迷艷的世界！

　　歸途中，爬上壽山公園，有小高雄港的感覺。
眼看廢氣瀰漫的街區，緊張而繁忙，相去湖景甚遠
，懷疑是兩處天地，都成了我懸想的禁臠。

　　（1976.2.14 日記）

　　　　　　※

　　動輒「老子」不離嘴的茂森，口頭禪像安了發
條，讓人跟著定律跳動。他老子今天帶我們去小琉
球，他表弟陪同。

　　搭渡船過去。好多遊客在行前都興緻勃勃，一
旦出航才知不妙。有些人已忍受不了船身的搖晃，
發暈嘔吐，怨聲連連，瞬間成了船內慘景！

　　南臺灣的太陽如此炙熱，烤得人昏昏沈沈。看
，多壯闊的海浪呵，深藍得這麼誘人！穹蒼雲翳蕩
然，天陲宛如一片無垠的銀幕，正在萬千變化中。

　　在碼頭上了岸，頂著烈日沿海岸走去。大海在

我們腳邊憩息，定錨於近處的漁船無端地搖晃著。海水清澈得有如藍色的水晶，剔透見底。

全島都是石灰岩地形，被侵蝕得凹凸不平，整塊尖如針鋒，細孔遍布，彷彿歷盡滄桑般。我們購了遊覽卷，進去尋幽訪勝。

今天因為時間有限，也累得很，只到美人洞風景遊覽區，而烏鬼洞則沒去。從入口循序進入，先在曲徑探幽中流連，但見岩石嶙峋生動。拐彎鑽洞後出來是天外天，名稱取得好，確是別有天地。又想穿越蝙蝠洞，但漆黑擋路。折返看見石筍的痕跡但沒滴泉，喜怨參半。

後在情人坪小歇。一棵茄苳蓊鬱的覆蓋在上面，可供情人納涼，甚宜。再往仙人洞，有點渴望驚遇仙人，卻緣慳悵悵！

接著經由望海亭、仙人泉，到美人洞。裏面有一淺窪，狀如浴槽，盛有地下水，相傳那是專門給美人洗沐的，所以至今仍不涸竭。有一對情人在石椅上喁喁私語，想來另有一番趣味。

復出，又越過怡然園、寧靜亭、迷人陣、一線天，也都美不勝收。

回程中，船班耽誤了一小時，五點多才開船。

來南部，幾乎天天看到艷紅的落日和綺麗的晚

霞，極富色彩美。有人在船上嚷著：

「再五分鐘夕陽就要西沈了。」

果然不出所料，一分一秒看著它緩緩降落，直到隱沒了蹤影。此時月亮已經高升，它跟夕陽好像就是同一個，只不過光輝遜多了。

晚上在茂森表弟那邊用餐，聽四聲道電唱機。飯後沒直接回家，茂森提起找女孩去。他說野兔不吃窩邊草，要介紹給我們。

原來他也沒多大把握。到了她家，他佔盡了主角的鋒頭，將我們亮在一邊。我笑得有點不自然，說話也很聱牙，私自埋怨道：逢場做戲不成，還憋了半肚子氣。他想邀對方出來，被人家的老母留住了，一切前功盡棄。

（1976.2.15 日記）

　　　　　※

上午，離開張簡家。回想跟伯母相處，她人很隨和風趣，愛跟人聊天。昨夜我在洗澡，她和金得聊了老半天。臨睡前，聽到茂森打趣道「你給他上了一課歷史」，她說「對嘛，他要拜我為先生哩」。可見她恓養遺孤經過不少的風霜！伯父早逝，幾個孩子現今都快出頭了，我想伯母很偉大，茂森自己也深為認同。

幾天來，接觸不少同學的家人，增加了我的見聞。我思忖人的一生，都是一篇精采的故事，真誠而感人。大家會像一朵雲，偶爾相逢於途中，驚訝一望，剎那間整個世界變得非常美好。

下午到新港找徐文志，今夜打算投宿他家。

聽說北港的花燈名盛，便去湊湊熱鬧。但去到那邊卻被擠得滿身大汗，不一會就脫身逃出。

文志起初不願去。他說花燈有什麼好看，每年老是那一套！但我看花燈可是頭一遭，怎能放棄：即使再擠也要塞進去瞧個究竟。沒想到正如他所料，並不太理想，於是提早趕回來了。

（1976.2.16 日記）

　　　　　※

這大半天是在金得家過的。早上從嘉義回到臺中已過午時，在路邊攤隨便解決午餐。進入陳家，很睏睡了許久。晚上，去看電影。

出來玩甚多天了，突然想回家，決定明天就告別金得北上。

還有一處（楊田林的乾姊黃美鴻家），會順便去造訪；只是此時歸心似箭，不如就把這次旅遊的小雄壯圖植入胸臆，以備將來重現玩味，它是我生命中特別關情且值得緬懷的一段經歷。

（1976.2.17 日記）

成功嶺洗禮後

昨晚是在嶺上的最後一夜，大家興奮得睡不著，凌晨三、四點全都爬起來了，整理內務和收拾行李的聲音震天價響。

這兩天的心情不知是惜戀或惆悵，冷淡的場面勾起我無限的遐思，很不願在這離別的前夕譜一首落寞曲。

雖然前晚的惜別會並不冷場，但總覺得欠缺點什麼，因為它讓人感染不到一絲離別的氣氛。直到今早要分手了，還是沒有人依依的回望一眼。

在介壽臺前編組時，遇到楊田林。我們搭同一輛車，很想藉機吐一吐心裏的感受，但不知為什麼老開不了口。他看我無意談往事，就將話題扯開去。

班主任一行人在成功車站送我們。同樣的軍樂隊演奏著雄壯的歌曲，可是大家的心情已迥異於初來時的狀況，夾雜了太多受訓過程揮不去的酸苦記憶。

在火車進站前，有位長官走過來詢問我們，這六週有什麼壞印象？大家都說很好，沒什麼壞印象。他臉上布滿了疑惑，自言自語的說道：「一定有

一些，不可能全部沒有！」

　　他走後，我悄悄對田林說：「有時候，人不能不昧著良心說話，為了討好長官而給個好印象，只說出心裏不想說的話。」田林笑笑，想回應又嚥了下去。

　　坦白說，我不會把一些不合理的管教裸植於腦海裏。這世上反合理事的存在本就多到不可勝數，受訓中感覺到的那點又何足為怪？然而，確有人埋恨在心底。縱使他們未說出口，但臉上表情和態度就含著深濃的忌怨。我不想多看一眼，只納悶為什麼要表現得如此強烈露骨？

　　「呵，六週白訓了！」這是一句流行的口語，卻非實情。我想大家應該都有東西裝入囊篋，只是收穫的多或少而已（摸魚多的人可能收穫就少些），不必全然否定這次的軍行。

　　對於那些仍然扯不下反向面具的人，還是衷心寄望他們適可而止，否則有位排長在送我們前所流露的憤言「國家花了那麼大心血來培育你們，連一點感激留戀的心情都沒有」就會印入心中恆久的向你討情。

　　（1976.6.18 日記）

卷四　環島畢業旅行

海上顛簸

　　起牀後，又忙了一陣子。提著行李，走到校門口，送行的學弟、學妹，已排列在等候，還有師長們頻頻的祝福聲。在清晨陰涼的天氣裏，頃刻像一道暖烘的陽光，溫熱起來。

　　揮揮手，暫別了。帶著十二天的希望，心裏有份掩不住的喜悅。車窗外的景物，彷彿在眼前跳躍。

　　車子開到基隆已近八點，下車到附近買些餐點，就往候輪室檢查行李。今天旅客頗多，檢驗人員特地開一扇門讓我們過。

　　陰沈的天，一塊塊烏雲散不開。站在舺板上，冷冷的海風吹來，有點像要出海人的心情，抓緊衣領，凝望著港外的雲天。

　　上頂鳴過一聲長笛，船便緩緩地啟航，雨港的景物漸去漸遠，船在一浮一沈中出了港口。

　　扶在欄杆處，船身搖晃得頗厲害，一顆心也一浮一沈，比乘電梯還刺激。船過鼻頭角，身體漸感不支，腦袋很昏脹，胃裏一直嘔出酸水。江朝貴趕快領我下船艙休息，一刹那難過得不知所措。

　　船艙比較半穩，靠在椅子上才逐漸把嘔吐壓回去，冥冥中睡著了。待睜開眼時，有人喊龜山島到了。不假思索，立刻跑到外面看。

　　船正經過山頭的正面，海水沖得很近。山像兩塊巨石矗立著，上面有赭紅色，也有黃色的，再過去的山脊才長些草樹。仔細一看，山腰被海水沖擊的地方，冒出一堆白煙，黃色的岩壁上也在冒白煙。有人說那是硫磺。哦，我知道了，以前在石城老家看這裏不時竄出一片濃煙，不知那是什麼，感覺有點神祕，今天目睹了，不過是這麼一回事而已。

　　轉頭往遠方的彼岸看，蒼鬱的山巒隱在濃霧中，想尋找老家的位置，但已辨認不清了。

　　目送龜山島遠去，再回到座位上，用餐點。還有一半的距離，不知如何打發，靠著又睡著了。直到醒來，有人在喊花蓮到了。跑上舺板，果真遠遠看見了白色的燈塔。

　　蘇花公路在對岸山腰迤邐成一條灰帶。縣延的山峯，尚聚著雲霧。不意間抬頭看，陽光竟已穿透雲層，射下耀眼的光芒，內心興奮得高喊著：啊，美麗的花蓮！

　　船入花蓮港，結束了一百七十餘公里、五個半

小時的海上顛簸。走出花蓮輪的艙門，欣喜地告訴自己：你終於熬過這一關了。

車子沿著花木扶疏的海濱公園直駛市區，再往東拓大理石工廠。在那邊參觀半小時，大夥拚命購買土產，旅客擠得水洩不通。自己逛一圈就出來，什麼也沒買。

今夜住教師會館，吃完晚飯後，有空去逛逛街。走到那裏都有許多賣大理石玩藝的小攤子，連人行道上鋪的都是大理石，真是名不虛傳的大理石鄉。陳金得有感而發的說：

「呵，看不完的大理石！」

（1977.11.20 日記／加題，後同）

趨中橫

　　上午參觀明禮國小數學和勞作教學。明禮國小已有八十年悠久的歷史，掩映在蓊綠花樹間的教室，很有古樸的風味。他們在學科上的教學雖然無法跟北部相比，但他們卻很注重藝能科教學，在美勞、體育、音樂方面一向有很好的表現，值得從事國民教育的人借鏡。

　　午後，啟程前往中橫。沿途走馬看花，導遊陳小姐一路風趣的為我們介紹各地的風光。車子經過亞洲最大的水泥公司後，不久就到了太魯閣，而過去便是壯偉的中橫。

　　車子直開到長春橋。剛下車，立即被眼前的景色迷住。腳下的溪水清澈見底，對面峭壁直立，恍如山水畫，粗線條的山崗和溪流，給人一種空間的壓迫感。循著山腰有條曲徑，通長春祠，在那裏合照一張相。

　　長春橋過去，峽谷越來越深，遠望分不清是淡藍還是深藍的溪水，靜靜地流著。像幻夢般的溪水，使我想起這就是名聞遐邇的立霧溪。

　　走入中橫，每一處都是絕佳的風景，千崖峭立，谷石嶙峋，清涼的山風，尤增一分幽趣。

　　為了不錯過那絕美的景色，到燕子口，班導王鴻年老師答應我們下車走路。他說：「從這裏到天祥是中橫最美的一段。」

　　全程都是大理石岩，鑿過的隧洞，全留下凹凸不平的痕迹。尤其峭壁鮮明的紋路，有的美得讓人嘆為觀止！

　　途經無數黑漆的曲洞，有人裝鬼號，吹著尖銳的呼哨，平添幾分森然！路上來往的車輛不少，不時打破那略含恐怖氣氛的沈寂。

　　愈往裏走，愈見山的雄偉，須仰著頭方可見陡峭的山巔，青天更覺得遠了。一路上觀覽不盡奇巉澗谷，描繪不了那份奪人的氣勢。走到這裏才覺自己的渺小，更見天然的神奇！

　　老師雖然年近花甲，但依然健步如飛，談笑自若，跟我們同行，令人自嘆弗如！他一再聲稱老了，但我們一點也不覺得。

　　走到九曲洞，氣溫逐漸降低，山變得更高，河谷更狹更深，滿山有奔騰的水聲。探頭往下瞧，那滾滾流水如同天上來。再往前走，突見對面山壁上勒著四個大紅字：幽谷烟聲。胡劍峯問那是什麼意思。我指著幽谷中騰起的烟霧說：

　　「你看那一片烟霧，隆隆的水聲彷彿從中傳來

，那不是烟聲麼？」

　　他嗤笑了。不知是笑我傻，抑或笑那烟聲題得妙！

　　這時腳已相當痠了，依然得提起精神大跨步往前走。但沒到慈母亭時，遊覽車已經趕來。爬上車，老師和同學都在上面了。

　　在天祥只停半小時，已近黃昏，天色變暗了。四處隨意兜覽一陣，沒去看民族英雄文天祥的塑像。天都黑了，月亮已高高的出現在山峯。

　　車子直駛途中，小憩片刻，沒去注意車子爬上了海拔一千餘公尺的洛韶山莊。

　　下車前，跑上來一個人，用很親切的話說：

　　「各位同學，歡迎你們到此來，我是洛韶山莊的主人。你們把行李搬下來後，在客廳裏請稍待幾分鐘，我跟大家說幾句話。」

　　老師向我們介紹，才知道他是救國團在此設立服務中心的負責人趙主任。這山莊就像別墅般的高雅大方，白色的牆壁非常光潔，四周環境清幽得使人羨慕不已。

　　趙主任是個很能幹的人，把山莊管理得有條不紊，裏面的設備超人想像，能在此小住一夜，真是天賜的福氣。

　　晚間，天氣更加寒冷。大夥下棋的下棋，寫信的寫信，都為了消磨這個特別的山中之夜。

（1977.11.21 日記）

雲山競秀歷險

一夜相當冷，睡得並不好。做一個噩夢後驚醒，已是清晨六點了。

漱洗後，穿好衣服往室外走，一股氣冷冽襲來，身體打起寒顫。攏攏衣領，走下山坡，在立霧溪畔聽那洛洛的水聲，天色已漸晴朗。

早晨的山中，依然靜得出奇。在小花圃前佇立片刻，看矮小的杜鵑花尚留著幾點殘紅，還有不知名的小花正開得茂盛。再回首，遠山猶蒙著薄霧。沿著小徑回去，心裏叨念著昨夜已過了，何時能再擁有那般幽靜的夜？

離開前，我們邀趙主任合影。帶著不捨的心情揮手向他告別，也向中橫上的白宮告別。

此去這段路比前段路要驚險，司機先生純熟的技術，令人激賞，可以在狹窄的彎道上運轉自如。內心雖然有點寒，但我們還是很信任他。

今天座位被排在最後面，有點怕暈車，尤其這崎嶇不平的山路不被甩得頭昏眼花才怪。但咬緊牙關也要忍耐。約莫行了十幾分鐘，覺得沒有半點異狀，精神也非常好。有人在唱歌，也跟他亂哼窮喊，惹得大夥嗤笑不已。

在峯迴路轉間，峽谷把兩山削成尖形，數不出有幾丈深，有時還望不到底。車子甩來甩去中，感覺自己好像被拋出去了。再往下看是一段很深的懸崖，心悸之餘，本能的往裏靠，跟旁人說：「我有懼高症！」

山頂出現幾道霞光，太陽已快升上來。聚在谷中的晨霧，變成一片青暈，跟天上的白雲相輝映。頓時想出「雲山競奇」的句子。

在海拔二千二百公尺的碧綠神木前停車休息，合影留念。再上臺階後，陳小姐告訴我們旁邊有很多的烏鴉。仔細看，在枯樹的梢頭佔著一隻隻烏鴉，那昂立的姿態成一勝景。

車子逐漸爬高，滿山的古松間有一片片紅葉，艷麗得令我驚叫失聲！誰把它染紅了？平生只看過一次楓葉紅，如今它紅遍了山崗，也紅遍了我心中。不知有幾次情不自禁的狂喊著：「楓葉紅了！」

千山萬壑，古木參天，路上雖然未見特殊佳景，但那雄偉的氣勢直迫著人的心胸，呼吸間彷如在吞吐著一座座瑰奇的山。說不出那份驚悸、那份膽寒，隨時感覺是在歷險。

一路不時遇上未清理完的崩坍，工人默默的在那裏修路。

在福壽山農場流連一會，大夥搶著買便宜的蘋果。嚐了一粒，那甜美的滋味真是過癮！

下梨山後，所看到的已不是自然的景色，而是一如平地的模樣。建築物很漂亮，但已感受不到那份神奇了。

午飯後，繼續前行，過谷關、東勢、豐原到臺中。走了三個半小時，結束中橫旅程。這可能是終身很難忘的一次經歷！

今夜住教師會館。

（1977.11.22 日記）

看碧波盪漾

　　套房的牀舖太軟，睡得很不舒服。半夜又做了一個夢，夢見自己在大庭廣眾前演說交友，有板有眼的像個行家。但還沒講完，聽眾就紛紛離席。有人在旁提醒我說：「你該結束了。」但我還意猶未盡的越講越興奮，頻頻對他說：「我再把結論講了，就結束。」到最後只剩下自己一個人。醒來後，感到有點悵然，真是荒唐！

　　上午到臺中大雅國小參觀。看到優雅的環境和整齊的校舍，比花蓮明禮不知壯觀多少倍。有人拚命拍照他們的教室佈置及各項設備。鄭校長是位既能幹又有領導本事的人，使得學校一切的教育都很上軌道。

　　還參觀他們的幼童軍集會示範和康樂表演，真是一新耳目，獲益良多。中午，還給他們請了很豐富的便當午餐。

　　離開大雅後，就往南投日月潭走。沿途上看的幾乎全是蒼翠的景物，除了水稻外，還有煙草、鳳梨、香蕉等農作物。

　　太累了，靠在椅上兩眼垂得睜不開，直到有人喊日月潭到了才醒來。依然很勉強睜開眼走下車，

看見一潭碧綠的湖水。後面有座廟，陳小姐說是文武廟。近前看，那巍峨的廟宇，很能動人魂魄。爬到最高殿，可盡覽日月潭全景。

　　在豔陽高照下，車子又開往慈恩塔，在上面瞻仰蔣太夫人塑像。爬上塔頂俯瞰，湖光山色盡收眼底。此刻，涼風徐徐吹來，娛情煥發，依依不捨離去。

　　回頭在番社逛一圈。打扮得很妖豔的原住民姑娘，遇到我們嘰嘰咕咕的說著讓人聽不懂的話。許久才悟出她在說照相：意思要我們請她合照，給她一點報酬。大夥開玩笑說，去跟她合照，聞聞是什麼味道；如果熱情一點的，還會摟著你。但還是沒人敢照。

　　今夜住青年活動中心，兼開檢討會。

　　（1977.11.23 日記）

蒼林尋踪

　　今天起得早一點，趕往竹山去。沿著湖畔來到涵碧樓下面街道吃早點。下山時，東邊正升起耀眼的太陽，照得湖面波光瀲灩。山坡下金黃的稻田上方輕烟氤氳，好一片村野晨景！

　　趕到竹山國小，已近八點半。陳校長剛逝世不久，只有幾位主任來歡迎我們。

　　南部的小學，真是一所比一所大。昨天大雅國小，咸認為夠大了，沒想到竹山國小卻有七甲多地，比它大一倍。正門進去是一棟三層樓的教室，玄關盡處則是升旗臺和三個網球場。左側教室後面還有一個長達四百公尺跑道的運動場，旁邊另加球場，校區四周遍植大王椰、檳榔樹、銀柳樹……棵棵長得十幾丈高。站在角落望去，儼然是一所建在蒼林中的學校。真羨慕在此地教書的老師和求學的小朋友。

　　參觀他們的社會和音樂教學。音樂科在他們來說是比較聞名的，但今天看了並不覺得有多特殊。或許正如老師所說的，陳校長一去世，缺乏推動的力量，逐漸趨向沒落。

　　到學校參觀只是匆匆的走馬看花，人家真正的

菁華也許還沒擷取到，但又無法多停留一會，就看將來的際遇了。

從竹山到溪頭的路上，依然林木茂盛。路旁有許多香蕉園，正在結果。觀賞不盡一路的翠綠。

溪頭是臺大的林業實驗所，滿山高聳的杉木，那偉容直可媲美中橫的景色。走進濃密的林中，一股森寒沁骨，精神抖擻，說不出心中那份感受，彷彿是天賜的良緣能親近這片壯闊的叢林。

大學池的水已不清澈，弧形竹橋顯得很老舊。在橋頭留影後，又往紅檜神木去。

路上的樹木更見佳趣。一棵棵緊挨站立，枝葉長成錐形，遠遠看去有股隱伏的殺機。有人嘆道：「啊，好像有百萬雄師，一聲令下就會衝過來似的！」

我們抄小路走。林中密葉遮天，濃蔭幽暗，平添一分悚慄。直到出了叢林，始見光明。

神木已快老化了，中間被開個洞，遊客紛紛湧入，爭看個究竟。

人太多，不想進去，在上頭涼亭小憩片刻。循著小路下山，中遇銀杏林，揀起地上的黃葉，如扇狀，紋路很美，選兩片放在口袋帶走。

下來後，看見孔雀園，就搭車前往嘉義。

　　天氣又恢復平地的溫熱，脫下大衣，感到異常的酥輭。靠著睡一覺，不久到了嘉義教師會館。今晚就在此渡過。

　　（1977.11.24 日記）

登寒山

七點半到北門車站跟音樂班會合，這時上空正飄著細雨。漫天的灰雲，看來是不會晴朗了。

「阿里山上，恐怕會下更大的雨。」

「希望不要下，不然就不好玩了。」

有人議論道。但呈現在每個人臉上的表情，十之八九是欣喜的。尤其音樂班一羣女孩們，像炙烈的火花，到那裏都是熱情洋溢！

外表紅色的中興號登山小火車，八點十分開。頭次搭乘這種火車，一排只有三個座位，坐著不很舒服。火車頭在後面推著四節車廂。彎彎曲曲的鐵道，車子駛過顛顛晃晃，被弄得昏頭轉向。

山腰的斜坡上種有柑橘、檳榔、龍眼。鐵道兩旁，栽植許多聖誕紅，正開著豔麗的花朵。往窗外看，山谷雲霧縹緲，層巒疊翠。車子經過許多山洞，乍看雲海忽左忽右，細瞧才知一側原被山壁擋住。車繞過山壁，就看到了極美而虛幻的雲海。

在車上，有不絕的驚嘆聲。這座神奇的山，每年不知吸引多少訪客。神奇雖然逐漸淡薄，火車不再是三〇年代用蒸汽推動，但訪客們仍然年年不斷絡繹於途。

　　車子爬愈高，溫度愈低，雙腳逐漸在冰凍。車窗外霧氣瀰漫，隱約看見山頂雲濤洶湧。雨依然飄著，時而落一陣，陪風在山林逡巡。

　　看到三千年的神木時，已近中午。抵達阿里山車站，約行了四小時，爬高二千二百餘公尺。

　　旅社包飯的人，在車站外引導我們入餐。室內餐桌擺不下，我們一半人就在外面雨篷下用餐。笑聲雨聲，相映成趣，一頓飯吃得津津有味。

　　飯後把行李搬到阿里山閣旅社。那家旅社已經很舊了，純是木樓，多處已呈斑駁脫落，雜味嗆鼻。睡的是通舖；只不過幾張榻榻米，須擠十幾人。旅社老闆很市儈，不知什麼緣故，給我們的服務非常差。為了棉被不夠，同學還跟他吵過架。

　　大家心裏很氣，但也無可奈何，只能忍耐一夜。

　　雨還繼續下著。午後休息一會，全體要到香林國小參觀。男孩很多人沒帶傘。一個黑黑、壯壯，帶金邊眼鏡的女孩，笑著問我：

　　「你也沒帶傘？」

　　「是的。」

　　「那跟我撐一把。」

　　「好呀！」

　　接過她的傘，跟在別人後面走。還不曉得她叫什麼名字。每次在路口遇見，她常笑著跟我打招呼，直到昨天在嘉義夜市碰到才認識。

　　循著石級下坡，經過姊妹潭，有人觸景生情，紛紛猜測：

　　「那兩姊妹定是為爭一男人而殉情。」

　　「那姊妹可能有過一段感人的親愛故事。」

　　但沒人真正知道，那兩湖相隔不到五十公尺為何命名為姊妹潭。妹潭已快乾涸，姊潭上有兩座相連茅草蓋的涼亭。四周也是林木高聳，有如溪頭風味。

　　路上，黃久娟爽朗的談著，我自己也變得多話起來。

　　走過一座小吊橋，到了香林國小，很意外地不見一個人。前面正在興建新教室，窄小的操場零零亂亂。舊教室是用木頭造的，踩上去窸窸窣窣，而內部則是一片幽暗，大家面面相覷，驚異不已！

　　有人放聲大喊，只有回聲。雨從屋簷滴下，凍凍成音，益覺淒涼。此刻又漫天白霧，不知將往何處。老師探問回來說：

　　「他們已經停課一星期了，我們走吧！」

　　一陣嘩然！匆匆離去，拋下沈寂的木屋。

　　大夥樂得回旅社大玩特玩：拱豬、心臟病、吹牛……花樣頻出，搞到天翻地覆；也不管旅社的人抗議和老師的規勸，只管盡情的玩。或許只有一夜的聚首，特別珍貴吧！

　　（1977.11.25 日記）

走訪古城

今早起牀，雨雖然停了，但天氣還很冷。昨夜盼望著今天能看到日出，現在一切成空。偶爾有人在喊瞧日出去，反應卻很冷淡。

走到廊前，憑窗眺望，幾片彩霞停在東山頭上，四周還有稀薄的霧氣。心想：今天會是個晴朗天，但已沒機會再等待看明天的日出了。

飯後，把行李提至候車室，呆呆地坐著，呼著一團團的白氣，思維凝止在寒凍裏。走到欄杆前，站外有火車停著，前面是一片很高的杉木。看著，便跌入深思裏。未來前美好的憧憬，現在都那裏去了？倉促來去，豈能容我想什麼？

下山的火車，車頭在前面，悶嗆了四小時的柴油烟味，極難受。到北門車站，彷彿獲救般的舒暢，頂上陽光似乎也綻開了笑容在迎迓我們。

嘉義跟音樂班分手後，他們下高雄，我們到臺南。

先去安平古堡流連一會。這座古堡已被注入現代文明，有人感嘆：「這座古蹟，快要湮沒了。」

幾棵盤根錯節枝葉繁茂的榕樹，或許能跟古堡年齡相符。看著它，而聯想到那久遠的年代。

　　三門鐵砲幾欲生鏽，被腐蝕得頗厲害。它們對準的方向，已看不到海，而是海埔新生地後所建起的高樓大廈。這座三百年前荷人建造、嗣經日人重建、光復後國人修造，始成今日風貌的古堡，那能引發人思古的幽情？

　　帶著幾分遺憾離開古堡，已近黃昏，逛到新園旅社去。延平郡王祠、赤崁樓也沒空去造訪。街上所看到的臺南，車水馬龍一如臺北。

　　（1977.11.26 日記）

覽名勝

出發時，陰暗的天空開始飄雨。從臺南往高雄的高速公路經過，雨大得看不見遠處的東西。直到清水岩，雨才停。

沿著濕漉的小路來到龍蟠洞，小男孩提著燭火替我們引路，弓著身子往前摸索。那是石灰岩洞，裏面既深又暗。在微弱的燭光中，依稀看見洞內的奇形怪狀。走了很久，才出洞口。我們只走較短的一段，還有一段須費時一個鐘頭，沒空去逛。

隨意瀏覽，也不覺得有什麼特殊的地方。回到車上，李新俊說再上去有誰的墓園，沒看太可惜。

前往佛光山。這時陽光已透出雲層，人很多。佛寺大小殿，不知有多少，滿是遊客。大佛像前，人潮更是川流不息，到處有人在拍照。

站在佛教勝地佛光山上，竟然感覺不到它的莊嚴肅穆。絡繹不絕的朝聖者花花綠綠點綴著，宗教氣氛蕩然無存！

那朝誦暮唸、夕鼓晨鐘的世界，人真正在追求的是什麼？我茫然！

緩緩走下階梯，爬上車，佛光山已成為腦海中一個名詞。

　　下午遊澄清湖。舊地重遊，不再像頭次來時那麼新奇。

　　澄清湖似乎比以往美多了。九曲橋前段湖岸的樹木，兩年前剛種，現在已長得很好看。沿著湖濱走，涼風習習，清爽無比。

　　後半湖，不用走路，而搭車繞過。遠遠看著夕陽紅光耀射西天，映照著湖面，金光粼粼。遠望這幕景象，但覺人間無處可尋。

　　往回走的路上，暮色已快暗了。而那渾闊的天陲，一輪夕陽的影子，在腦海裏久久不逝。

　　（1977.11.27 日記）

渾臨海涯

上午到西子灣中正國小參觀。

這所小學，規模小，卻辦得很有聲色，無非是從校長到學生一致發揮「吾愛吾校」的精神所致。看了一堂唱遊和一堂寫字教學，真是毫無瑕疵，很令人佩服和值得學習。

簡校長還帶我們到西子灣海濱公園看看那裏美的風景，也到蔣公生前的行館去憑弔，留下一份深深的懷念。

午飯後，到造船廠參觀。

這座世上一流的造船廠，值得國人驕傲。沒來前，不知是個什麼情況；而來了，才深信人定勝天確非虛言。光一個造船塢就長達九百多公尺，寬達八十多公尺，其餘可想而知。從報紙看到下水過的柏瑪奮進號四十五萬噸鉅型油輪，正停在碼頭上，足有二十幾層樓高。還有一艘正在船塢內建造。船塢上兩座吊車，有二十九層樓高（光一個英文字就有二層樓高），讓人感到彷彿進入巨人國。呵，真是國人的榮光！

聽說煉鋼廠面積比這裏大五倍，真難想像是怎樣的壯闊。只可惜今天無法進去觀覽，又要離開前

往別處。

　　到屏師參觀後，直接往恆春走。

　　那一望無際的田野，筆直而看不到盡頭的道路，還有兩旁高聳雲霄的大王椰，又是別一番風味。

　　再過去，平原漸狹，看見山出現在左側，海在右側，便走向沿海路上。車子疾駛過，一幕幕景色令人陶醉。那海天一色，渾闊無涯。如果能夠，我會奔向它。

　　恆春半島雖然有豐饒的田園，但給人確有一份荒涼感。風颳得像颶颱。站在四樓的旅社房間內，窗外風聲呼嘯有如鬼號，令人不寒而慄！入夜後，小街上除了幾盞燈還亮著，幾疑身處在荒山野谷。而風不停，夜愈覺淒厲。

　　今晚，恐怕只有風聲伴我入眠了。

（1977.11.28 日記）

且夢逐滄浪

窗外已天亮，而風依然呼嘯不停。醒來走到窗前，往下望，一片片房屋參差不齊。幾棵椰子樹在風中搖得很厲害，馬路上有許多早起的行人。

往南去墾丁。

濱海公路旁，人煙稀少，只是一片荒野。海邊小沙灣停著幾隻竹筏漁船，在海上搖盪著而不見漁夫。

一路盡是山山海海，愈往南走，視界愈加寂靜。現已面臨海島的末端，有些幽微的感受竟都說不出。繼想這僅是來遊玩，心情還是開朗些吧！

在墾丁公園內逛了一個多小時。這裏遊人稀少，可盡情的蹦跳歌唱。門口進去，尚栽培有四季的花木，路旁開滿艷麗的花朵。而愈往深林去，原始味愈濃，密密麻麻的熱帶林，都沒經過人工修飾。這裏是上升地形，可見奇形怪狀的珊瑚岩，還有經過海蝕的曲洞。斷層的峽谷，隱在樹林裏，陽光只點點片片的照射下來。從林下走過，常不見陽光。

走在步道上，有人發起童心的說：

「欸，腳步踏輕些，這些樹木還在睡覺，別吵醒它們！」

惹得大夥嗤嗤而笑，林裏的小鳥也吱吱的深鳴起來。也有人評道：

「澄清湖是人工美，這裏是原始美。」

只要有一片清幽的環境，就能讓我滿足，我不會祈求太多。靜靜地坐在樹蔭下，也能讓我消磨一個下午，大自然是我的樂園。

從望海樓上遠眺，到處林木蓊鬱。更遠處，海天相連。鵝鑾鼻白色的燈塔轟立在恆春半島的末端，那就是臺灣的最尾處。哦，我們已遊過幾千里啦！

繼續往鵝鑾鼻。

在那裏留影紀念。還特地跑到盡邊，去掬海水。那滾滾滄浪，望去已不見自己的國土，心裏迴盪著一股熱流。除了此地，那裏還尋得到自由的園地？大海再見了。你的奔放，愈增我厮守的決心，這是我的祖國呵！

再返回楓港經南迴公路到臺東。這裏風浪更大，車子在崖上走，海浪在崖下滾。相距好長一段路，才遇一小鎮。純樸的屋舍冷冷清清，這就是東部的風味麼？

來到知本鄉，投宿於知本大飯店，更覺離開城市很遠了。

　　飯後，結伴去河對岸小店舖買東西。大包小包，不嫌貴。為了爭睹漂亮的小姐，個個流連忘返。不想買的人，還聊到不想走，引得當地的住民另眼相看。那笑語聲，足可繞樑三匝而不絕。

　（1977.11.29 日記）

數景觀

　　睡夢正酣，又被喚醒，急著趕路。倘能多睡一會，不知多好！

　　離開知本時，陽光還未爬上山頭。車子在花東公路上疾駛，窗外金黃的稻田、蔥蘢的山林……一幕幕景象飛馳而過，留下無數的讚美。

　　東部的河流短急，出海口寬廣，橫跨河岸的長橋特多。不久前這裏汽車和火車都是共路行駛，現在多數公路橋樑都已建好，汽車跟火車爭橋的情形已不多見，全程只剩一座如此。

　　到臺東關山國小，已近九時。倉促的參觀他們的自然和勞作教學，又繞一圈校園，加上半小時開會，就結束了。他們比較特殊的是級任老師在教室辦公，小辦公室裏只有幾位科任老師。這無疑是行政上的一大改革，嘉惠學子，功不可沒。

　　回到花蓮教師會館已近傍晚了。

　　這是十二天旅程最後一夜，只盼望及早回家，全省已跑過一圈了。

　　（1977.11.30 日記）

歸途

　　清晨從花蓮出發，走蘇花公路。崇德管制站過去是清水斷崖，山高水深。車從崖上過，看不到底下沙灘，只見湛藍的海水波動。汪洋一片，氣勢雄壯。車子疾駛在彎道上，令人心驚魄動，如在冒險。谷風一段，也是如此。這次旅行歷經中橫、蘇花公路，恐三生難再；而這個經歷，也將終身難忘！

　　谷風過去，山路比較寬敞，少見斷崖。工程浩大的北迴鐵路沿著蘇花公路建造，還在進行。現代人真是幸福，過幾年環島鐵路完成，便民利民處將更顯著。政府德政，永遠彪炳人寰！

　　在羅東休息站午飯後，逕回臺北。此刻內心有說不出的興奮，這種興奮不下於啟程的那一刻。依依不捨跟導遊小姐、司機先生道別。

　　（1977.12.1 日記）

卷五　集中實習

上場

（準備了很久，為期三週的集中實習正式開始
。我們選定羅東國小，在空教室打地舖，而指
導教授為班導王鴻年老師。先前已觀摩過他所
帶領班級的實習，進程即將大同小異。只是這
次多了跟吳姓教授帶領的音樂班合作，有他們
的建議事項加入，節奏會更加緊湊。我跟溫百
慶負責五年信班的教學工作，兼辦出版組業務
。今擇要所記並加題置此）

凌晨三時上床，七時許就被叫醒。

緊忙一陣後，把行李搬往車上。至宿舍門口，
見人潮如織，歡聲洋溢，別班也趕著出發。

天空灰濛，細雨紛飛，人來往穿梭景亂，不知
是凝重還是縈愁。踏上教壇道路，還得努力；而今
起卻將任人師，為何這麼快速！

車行經北宜公路，蜿蜒不已，有如人生途徑，
無直盡曲。屢過此地，感觸益深；今往羅東，當更
能印證。

迄校後，將行李移至住處。兩位教授交代今後
行事方針；再複習舞蹈。夜間首開校務會議，工作

總報告；輪到出版組時，語無倫次，越說越緊張，甚為窘迫！

忙到深夜方眠。

（1978.4.16 日記／加題，後同）

大考驗

今天朝會跟原級任賴老師交接級務；升旗時楊校長將我們介紹給全校師生，三週實習活動即將展開。

由賴老師帶領進入教室，他說些話便交給我倆。

所接手五信這班，在各方面表現雖然平平，但也不差。賴老師是性情中人，學生也溫和有禮，剛接觸便感輕鬆愉快。

初次上課，所採行為目標式教學，學生不太能適應。過了一節，才進入狀況，並沒有影響到教學活動的進行。

課前，從新安排座位。全班四十八人分成八組，各組推選一位組長，負責相關事宜。還要學生備妥筆記簿，以便紀錄，用途及該注意事項都給予詳細說明，盼望這三週內彼此能愉快相處。

每天定程繁序，課間及聯課活動都用來訓練學生運動會所要表演的大會操、大會舞和莒拳等項目。此外，填寫各種報告表、開行政會議和佈置教室等，實在忙得不可開交。

（1978.4.17 日記）

全包有代價

一切活動都按進度施行，即使有困難，也沒大妨害；唯有教室佈置（採牽線活動式）幾欲令人廢寢忘食，天天忙到三更半夜，體力耗盡，苦不堪言！

指導教授的理想高，經過他們一再指示，方能做出像樣的佈置來。實習中，此事至關緊要，有形成果也非此莫屬。固然有點憂勤，但也不能發出怨言。而比照這事，額外出勤的還不少。

比如昨天就用一堂課指導學童寫詩，但反應不佳。或許事前準備不足，材料未予以選妥排定，以致提不起對方的興趣，乃一大遺憾！

今天看他們所寫的成品，僅一、二人稍能領悟作詩技巧，其餘抄的抄，代寫的代寫，不一而足。

僅一堂外加課，就期待見到佳作，誠屬奢望。況且每天作業成堆，他們怎有多餘的時間習詩？只有我們這種全包式教學，才會覺得沒多付點心力（僅照章行事）恐怕「有辱厥職」，誠然是自我加勉過甚！

（1978.4.20 日記）

轉陀

　　運動會和遊藝會的各項節目都分頭在訓練。因
時間匆促，訓練時必須效果立見方可；但少數負責
人沒考慮周詳便貿然嘗試團體練習，致使各班動作
未臻熟悉的全然亂序，已部分熟悉的也忙中有錯。

　　實在無法忍受如此盲目的拖延下去，便前去爭
論。語氣上或有不馴；但事關宏大，為了避免枉費
時間，不得不提出，渴盼能有所補救。

　　現在面臨一個大問題，就是辛苦練得快成功了
，卻因顧及排面要去掉部份人，正為此事委決不下
。跟百慶商量結果，那些人另外安排活動，如此方
可安心。

　　教課至今，尚無大困難，加強效果評量頗為重
要，而勤批改作業也是效果評量一途。這些都擔負
不輕且難嫌繁雜，僅盼能增加學童獲益而留有美好
回憶。

　　本週必須出版壁報，正在籌畫中。音樂班夥伴
戴文詩隨和負責，乃出版工作能順利進行的有功人
，於心甚慰。

（1978.4.24 日記）

趕鴨子上架

昨夜下起細雨，今晨還流連不去，一切訓練活動都無法進行。

升旗前，雨勢稍歇。女生在籃球場練習劍舞，因班數多場地窄，每講解一個動作到示範，須費不少力氣。

還未熟練，主持人又一味地集合大家驗收。跟她爭辯無益，索性站立一旁看她有多大本領整合。果然時間一過，仍在原點。當時氣得真想頓足！我不願本班落人後，該如何訓練自有計畫，何勞她來插手？況且一無是功，誰能忍耐？挨罵的依然是我們！

團體舞，須做道具（每位學童做一花環）。今有勞作課，恰可先教他們編花朵。學童自帶錢去買縐紋紙，有一、二位家人不讓買，無可奈何，只好將該事擱著。在此一切活動都遭致困難，家庭不配合學校，常要絞盡腦汁找解決辦法，搞到焦灼不堪，一天難得以笑臉對待學童。

更甚的是，某刻那邊有事要做某刻這邊有問題得處理，應接不暇。此外，學童秩序欠佳又須管制。如此過一天，真不知所云。課餘細想，更不是滋

味。

　　今天有罰青蛙跳及蹲馬步的，不這般實在無以遏止隨時爆發的吵鬧。當中朱一仁蹲馬步蹲到眼淚滾出來，立刻命他回坐。

　　嗓門早已沙啞，尤須勉強提高聲音。然而，學童羣亂，彷彿要把我吞噬。意志脆弱一點的，恐怕已飽含淚水了。

　　今後當以掌握學童注意力為要，進行任何活動才不致有礙。

　　（1978.4.25 日記）

說教

　　每堂教學，全採啟發式，學童的發言機會均等，不想說的，不會說的，在多方敦促鼓勵下，漸漸地他們站起來很少再有沈默的。他們多少都能表達自己的意思，彼此間的距離也越拉越近。

　　今天請賴老師來評論教學效果。他頻點頭讚許，接著說：「你這樣分組教學很有效果，不像我們用老套：填鴨式教學。很好！」他又講了一句很讓人感到欣慰的話：「平時不喜歡講話的人，今天都講得頭頭是道。」

　　這時才知道自己教學並不失敗，且部分已有了顯著的效果。

　　即使如此，我仍清楚教學技術還不夠高明，每次總要先預習事前編好的教案，上臺才能應付裕如，而少了臨時的變通補充。賴老師客氣沒指出我的缺點，要多加改進的自我鞭策力依舊存在。

　　下午的說話課，分組練習，有人害臊或因故不參與討論，見狀立即宣布停止，而忍不住激昂的訓了他們一頓：

　　「我一律平等看待你們，但有些人卻表現得讓我失望。比如要你們分組討論，有的不合作或故意

搗蛋，影響到課程的進行，也平白的流失了相互學習的機會！」

　　說到這裏，感覺全身血液都沸騰了起來，還越發動氣：

　　「現在不虛心學習，以後還能做什麼？進學校有老師指導你，糾正你的缺失，出社會後誰來給你意見、教你學好？希望大家能相處愉快，而不願看到有人破壞氣氛……」

　　底下鴉雀無聲。不覺自己已說了一長篇道理，他們是否聽進去了，完全不知道。

　　（1978.4.26 日記）

半撐篙

夜間開完檢討會，開始整理兩日來未完成的壁報。當事竣上架公佈欄時，戴文詩欣喜得叫起來，硬要我多看幾眼兩人的精心傑作，然後回辦公室斟了汽水，乾盃慶祝，不覺會心一笑。

兩週來，跟她一道辦事，經常被她開朗的性格和活潑的氣息感染著。在沈悶的工作中，她的歌聲讓我忘掉不少勞累。只是這般愉快的相處，快要不再了。

現在又得刻通訊的文章。王老師答應不出第三期，但這期必須趕在明天出刊。全部刻妥後，已是深夜了。回到卧處，滿身虛浮，就像船篙撐了一半，不由自主的晃動起來。

（1978.4.28 日記）

詩風難形

剛來時，曾教他們寫詩，也抄些範作給他們參考。

有幾位學童很喜歡寫，而我僅能把他們的作品批改，鼓勵他們一番，還沒有空堂公佈那些作品，好讓其他人也有機會觀摩。

過程只有用一塊他們帶來的三夾板，貼上白紙，請他們自由去題詩。到今天二張已滿，取下而重貼白紙。有空時再看看他們寫了什麼，等下週一併來討論欣賞。

（1978.4.29 日記／結果是事情太多，壓得我喘不過氣來，原可以引導他們進入詩世界的計畫戛然中止，以致篇題〈詩風難形〉自成一道反諷）

重頭戲

　　晨起，天晴雲疏，心中頓生快慰，今天運動會可望順利舉行。

　　活動將於下午一時半開始，上午原需照常教課；但被體育組長派去佈置場地，領著學童挖土坑、插木樁，花費兩節課時間。讀書從這週以來已落後五節，影響進度。

　　今天觀眾不多，來賓也有限，但全校學童圍坐操場四周卻頗為壯觀。我忙於道具搬運，鮮有空閒跟自己班的相聚，全仗百慶一人及賴老師協助他們進出場。

　　全會高潮迭起，尤其穿梭趣味競賽和大隊接力二項，大家的加油桶喊得聲嘶力竭，場內場外士氣高昂，完全沒有冷掉。

　　班上得了兩項亞軍，成績不錯，於運動會結束後嘉勉他們一番。沒得獎的，百慶提議送筆記簿以資鼓勵。

　　夜間，家長會宴請，地點在新天地餐廳。原校老師一道歡樂，酒過數巡，醺的醺醉的醉，乃三週來最放鬆趣多一次。

　　（1978.5.3 日記）

離別

今天要跟他們分離，也許是難有再聚首的一天，怎不教人黯然神傷！

一個個含著悲傷把心愛的東西送給我們，接在手裏竟喑啞得說不出話來。但此刻又能說什麼？要說的話，不就早都說了？只讓痛苦在心內絞著，但願載我們返北的車慢點開動！

大家被緊緊的纏住，耳旁響起喊聲夾著哭聲：「老師不要走，不要走！」我心已碎，一句話也蹦不上來。

負疚的衝離人羣，惦念著：孩子們告別了，縱然再見面遙遙無期，但我會祝福你們，快樂的過活。

車還是開動了，猛揮著手，根本不相信就這樣要揮走一段濃厚的感情！

（1978.5.6 日記）

卷六　文選錄

踏青

　　蟄居小鎮，整整捱過一個陰雨綿綿的冬季，終日渴盼著陽光，而陽光又遠在何方？心想：這時節也該是冬盡春來了吧。二月中旬，天空終於放晴了，那突破雲層的陽光，和煦地普照著大地，令人喜不自禁的歡呼著。有一天，謝喜孜孜的找上門來。看她一身輕裝的打扮，我訝異的問自己：冬天已走了嗎？站在我面前的她，不就是春天的姑娘，再看一眼她的打扮，我幾乎就相信了。

　　「明天到月眉山烤肉，去不去？」她說。

　　「真的？」這意外的踏青的機會叫我驚喜。

　　「夥伴都已找好了。」她又說。

　　沒有第二句話，我已答應了。抬頭望望當空的烈日，我們會心的笑了。

　　隔天早晨，一行十個人，各攜著烤具、五香肉、土司和木炭，向四腳亭的月眉山出發。路經淳樸的村家，光著腳丫的村童，近前來好奇的望著我們這羣造訪的遊客。有人吹口哨，逗得路旁一羣火雞伸長脖子咯咯咯地跟著叫。一隻狗兒張著嘴對我們吠了幾聲，搖搖尾巴就跑了。我們年輕的笑語，驚擾了寂靜的小村。步上山路，頻頻的笑語，宛如一

首年輕的歌，正向山中引吭高唱，而一陣陣的徐風輕和著。

平時聽慣了淅瀝的雨聲，來到這幽靜的山中，別有一番感受。面對眼前一片青山，心中實有無限的思慕，不禁激起「振衣千仞崗」的豪情來。

一條小谿，從山上蜿蜒而下，谿兩岸長滿了芒草，只聽見潺湲的水聲。循著沒脛的曲徑而上，約莫走了二十分鐘，就到了目的地。前面的人喊到了，後面的人還不肯相信的睜大雙眼四下張望著。

「這就是月眉山？不像嘛！」

然而，他們都說月眉山已經到了。我仍不明白月眉山是這樣一座不惹眼的小山，不是我想像中的「月眉山」呀。梁引我到一座湖旁，他指著前面的湖對我說：

「那就是月眉湖。」

我仔細一瞧，發現它真像一彎月眉，靜靜地躺在兩山中間，看不見水的源頭在那裏。我想「月眉山」跟它有關係吧！可是梁卻沒告訴我它們有何關係。

大夥兒找了一棵有著濃蔭的樹下，砌好石灶，開始起火，微風吹來，青煙瀰漫。不一會工夫，迷煙漸散，鐵絲網上鋪了肉，肉香味逐漸逸出，火苗

上的油汁，發出吱吱的聲音，煞是清脆悅耳。聽了，心裏一陣暢快。

邊烤邊吃。不久，帶去的土司及五香肉都烤吃光了。大夥意興闌珊的躺臥在草地上閒聊；杯箸狼藉，餘火淡淡地燃著，頭頂上的陽光已經偏斜了。

我信步走到湖邊。對岸草叢中有位年輕人在釣魚，再過去有間茅屋，門前擺著一條小皮凳，旁邊站著一位老人，那老人出神地望著湖水，陽光慵懶地照在他身上。山靜得出奇。偶爾附近的林子裏傳來幾聲鳥鳴，彷彿午後的絕響。湖山一色，清風徐來，拂縐了湖水，一片潋灩的波光直逼到腳下。湖畔的芒花低吻著水面，岸上幾棵聳立的古木，鋪了滿地的濃蔭。站在樹下，我感到一股幽幽的清涼，直沁入心底。

舉目四望，都是靜悄悄的，心也靜如不興波瀾的一潭湖水，頻泛起一種微妙的感覺。我了解那是什麼，因許久不曾擁有過如此寧謐的湖光山色了。

正陷於沉思中，突然有個細微、親切的聲音在我身後響起：

「小哥，你在想什麼。」

我轉過身，看到是謝。

「啊，沒有，我在看那人釣魚。」我順手指著

對面垂釣的人。

「這裏好清涼哦！」

「嗯，嗯。」我想不起什麼話，只好敷衍地答著。

難免又會給她批評我「很靜很靜」了。但我不想勉強自己，沒話說，我都是這樣沉默的。

她走後，我在湖畔還待了一陣，她就來喊我上路了。

「我們要到上面的靈泉寺，走吧！」

跟在他們後面，走了一段碎石路，遠遠就看見一座牌坊，上面寫著「靈泉寺」三個字。這時節沒有遊人，寺裏很清幽。到四處兜覽一陣，喝點涼水，趕趕身上的熱氣。前殿正在修建，幾位工人在敲敲打打外，只看到兩三位於禪房打盹的僧人。大夥作興抽籤求願去。

有經驗的廖，告訴我們怎麼抽法：先雙手合十，對著佛祖祈願，再拿杯筊擲地，倘若是「聖筊」，方可抽籤筒裏的籤；抽完籤，還要擲一次，倘若是「聖筊」，那張籤詩才屬於你的。

最先要投入一塊硬幣在香案前的木箱內。蔡說那是通知佛祖來聽你的祈願，大家忍不住都笑出來。不論那是否真實，我們的內心都懷有一股虔誠在

。

　　我興起，也去卜卜看近內的運氣如何。連續擲了兩次，二上二下，不是「聖筊」，佛祖彷彿不滿意我的祈願似的。我不放棄，再來第二回，果然是一次「聖筊」了。

　　取出籤詩，上書：「運逢得意身顯變，君爾身中皆有益。一向前途無難事，決意之中保清吉。」

　　看完，不禁笑笑對自己說：運氣還好嘛！於是便小心地摺好放入口袋。寺裏一位老僧對我說：「好好保存它，常對佛祖祈禱，佛祖會更加保佑你。」我欣喜的謝了出來。

　　在寺前老榕樹下乘涼時，我竟想到那些遁入空門的禪師……又想起南宗六祖慧能那句偈：「菩提本無樹，明鏡亦非臺。本來無一物，何處惹塵埃？」那是他們的禪境？對我來說，恐一生都無法「參悟」那虛幻的境界了。

　　我們再回到湖邊，繞著湖畔走向那座茅屋。那位垂釣的年輕人突然回頭，驚訝的看著我們，彷彿欲言又止。我們報以陽光般的微笑，樂得蹦跳著往前去。

　　這時幾陣風從山坳裏吹來，咻咻地搖落樹上無數的落葉，湖面像一疋揉縐的綠絨，登時想起馮延

巳的詞句：「風乍起，吹縐一池春水。」呵，那是最恰當的形容了。

岸上一列開著紅、白色的杜鵑花，深吸引住我的視線，聞到空氣中一絲絲淡的清香，倏忽猛悟到：春天真的來啦！那最早探知春天訊息的杜鵑花都開了，春天不是真的來了麼？那一朵朵使人想到春天的杜鵑花呵，盛開在這一月天，在這幽靜的湖畔，驕艷得令人著迷，令人沈醉！彷彿春天的跫音已從山上來了，已從湖的對岸來了。

今年首次在月眉山上看到杜鵑花，我知道：春天已經歸來了。

呵，回去迎接已歸來的春天吧！

（刊於 1977.4.21《青年戰士報》「青年園地」／收入《追夜》）

鼻頭健行

　　不知有多少次郊遊的機會，被我固執的摒逐於自築的一道厚牆之外。然而，我更嚮往在大自然的擁慰下，激起生命活躍的氣息，我渴望脫離現實的庸俗，去領受內在生活的悠閒，即使片刻也好。

　　一顆積鬱已久的心，它強烈的促使我走向大自然，唯有暫時當一名遯世者，才能滌淨蒙塵的心靈。

　　屬於壓抑的日子，勉強熬過後，我試著去抓住機會；固執，只有坐視機會的流逝，那原本不是我所願意的。

　　學期開始，有好幾個連續的假日，我加入楊他們所舉辦的行列——鼻頭健行。

　　鼻頭這地方我並不陌生，至少國中時代級任老師領我們全班去過一次。要從記憶深處去翻舊，固然有些困難，現在有這個重遊的機會，相信印象會更加深刻。

　　於是不惜路途超遙，好勝心征服了我們選下這個目標。

　　清晨，迎著微露的晨曦，沐著清涼的晨風，從學校出發，會合火車站部份的同學，開始了我們今

天的旅程。

　　大家默默守著一顆雀躍的心，臉上堆著溢漾的笑容，談吐間，變得斯文又拘謹，不經意中冒出一兩句幽趣的話語，才打開彼此和樂的氣氛。喜歡製造小噱頭的人，該是最樂了。我們所不能忽略的是身旁這幾位大小姐，雖然平時落落大方，把自己飾演得還可以；但於此矜持卻容易把原有的熱情給冷凝了。如果心中有著不在意的坦泰，仍不會減低遊興，只怕不稱意者，急於塑造主角的鋒芒，而把來的目的給拘圍了。

　　起初，楊邀她們的時候，我的興致還是高昂的，但我的習慣再高昂的興致不稍一會兒也會跌落到完全的冷淡。也許是過於敏感的關係，我無法完全控制自己善變的情緒。不了解我的人，很容易誤解我所扮演的角色很不明智；但我不是持孤癖者的作風，只要大家還玩得快樂，不要以詫異的眼光來衡量我的做法跟他們差上一百八十度。畢竟各人有各人的個性和看法，想透了這一層，遷就或不遷就別人就不至於做得踰越或不及，而自己也可以為所欲為，不再處處受拘束。

　　今天我是為尋幽訪勝而來，來接受被人遺忘在文明後面那份粗獷況味的洗禮。許多人爭相的從佟

傯的生活裏逸出，當一天半天的「類原始人」，他們的樂趣是珍貴的，感覺是新鮮的，才會有那麼多人一批批的自各角落攏來。我不相信，大多數人是為消遣假日的時光或另有企圖而來的。有人氣負負的敦促我不要這麼不通人情，我何嘗願意在大家輕鬆的時候突然嚴肅了？什麼時候我標榜了自己的高傲？呵！他的想法未免太感情了？後來，他諒解了我，我們這份默契終於溝通了，我不再猜疑，任何猜疑都足以困擾我的心情。我開朗的當起一名悠哉的遊士！

楊交給我一臺錄音機，沿途播放著藝術歌曲和輕音樂。我放緩了步伐，細心瀏覽眼前的崇山峻嶺，懸崖峭壁，而腳下就是一景彌望的深藍海面，穿梭在山腰下的是一條迤邐的山徑，人羣徒行其中，像一截絲帶斷斷續續的往前蠕動著。海風一股勁的吹拂過來，涼意直沁心脾，雖然頂著艷陽也不覺燥熱。我貪婪的像一位在慈母懷抱中盡情吸吮乳汁的嬰孩，怡然的陶醉於山嵐海氣裏。

不只一次，奇妙的景色，吸引我駐足凝睇；從那深海裏掀起的浪紋，岩岸激起的皎潔浪花，韻然有致的濤聲……就那麼容易的我發覺了一個年輕人的渴望和寬闊的胸襟。曾經我跟吳、蕭三人登上

雞籠山的頂端，俯瞰這裏的全景，我們讚嘆這世界
何其浩瀚！何其雄偉！我們自擬為豪邁壯志的英
雄，威風凜凜的站在世界的寶座上，有著不可一世
的顯赫。吳說他希望是一隻飛鳥，振翮在廣袤的海
域上，恣意的翱翔；蕭最沈穩，默默耕耘永遠是他
的標誌；我自誓要立於現實和理想的邊緣，燃起一
盞熒燈，觀照屬於大地的子民。我們都在努力的各
奔前程。

　　當我回首，雞籠山穩重的兀立於海的西邊，遙
遙相望的基隆嶼，酷似一個龐大的鯨魚頭浮在水面
。這如靜極的畫面，連向模糊的遠方，視界也消失
於夐遠的海涯。只看到蒼茫的天宇和壯闊的海面漫
成一片。

　　不曉得已走多久了，錄音機也停了響聲，等換
過了錄音帶，我才意識到落後他們已有一段距離，
急於趕上他們。迨我追上時我有窘迫的感覺，原來
他們在前面等我好久了。我試意拉下帽簷，低垂著
頭，怕觸到幾十隻訝異的眼光。再往前走，不再是
我殿後，而是嚮導了。

　　原先我們預定兩個鐘頭走完全程，現在是晌午
時分，鼻頭角看去僅有咫尺之隔，卻耐不住那條崎
嶇山路的迴轉，亟於走到是最大的願望。

　　路旁的平坦處，被捷足先登的遊客充當營地來
了，搭起青藍色的帳蓬，頗饒詩意的點綴在碧綠草
澤中。在海灘上嬉水的人，看他們捲起褲管，露出
淨白的小腿，任海水熱情的簇擁，忘情的徜徉在清
涼海水的浸潤下。頭上戴只斗笠手執釣竿專注的釣
者，海浪拍岸的霎那，迸起水花濺濕他的衣裳，本
能的往後挪幾步又回復他原來專注的神情。但見浮
標在水中晃呀晃的，他仍像木頭人佇立在那兒！他
在欣賞他心中的畫，我在欣賞畫中的他。

　　偌長路程的跋涉，遊人精神抖擻，逸興遄飛，
人人有溫馨的滿足，不同的樂趣引領他們進入心靈
的境界。踅返的遊人，猶帶著奕奕的神采鼓起勇氣
，再往回走兩個鐘頭。擦肩而過時，我看到一張張
新鮮而濛滿笑靨的面龐。

　　我們從海防班哨橫過，馬蹄型的港灣呈現在我
們的眼底，多欣會哪！再度親睹漁港的風貌，我有
說不出的親切感。不能自禁的衝動，一骨碌我躍上
了那道灰白色用水泥築成的防波堤，一時這個靜、
美的世界呈現在我的眼前，我的心境一直處於無法
平息的讚羨裏；無以描繪的意境，深遠的縷述了一
位遊子的祈鳴。站在這可窮目四望的防波堤上，我
頓失了感覺，心中一股股的企望在呼嘯的海風中迴

旋！迴旋！旋落了一筐的喟語。

停泊在港內的漁船，隨著薄風微浪的搧搖而起伏律動。靜淀的海面似一疋藍絨展向無垠的天際，午後的秋陽塗著滿臉的金華投射下來，從多縐的海面跳躍出無數晶瑩的粼光。擁抱漁村的山坳，低翔著幾隻白鴿，盤桓在山頭復又消失於婆娑的樹影中。我不禁為這淳得不沾一點市囂的漁村獻上無限的慕語，的確我有著深深的思慕之情。

曾在漁村長大而又遠離漁村，深繫於漁村的戀棧永遠屬於遊子的懷念。

在這裏，樸實無華的古老建築，刻劃著純潔和落後，唯一的古剎散發著宗教虔誠的氣氛，安居於此的子民很難想像他們的生活是怎個樣子？或許海洋是他們第二個家，從他們艱辛的創業起迄今已不知有多少年代？世世代代的子孫在此繁衍，而生活方式一直在與海搏鬥的冒險中。這裏縱有文明的踪跡可尋，但仍然是個淳樸簡陋的漁村啊！

我們繞過蹄型的碼頭往對岸走去，沿途曝曬著各種不同的魚乾，憨厚的村民有的在忙著補綴漁網，有的準備了漁具將出海去……他們對於這些造訪的遊客敢情是司空見慣了，依舊忙他們的活，而遊客們毫不受阻的遊逛了整個漁村。

　　走了將近三個時辰，大家雙腿痠軟的程度，已呈步伐顛躓，不敢再想像回程有多遠了。

　　為了一圖輕鬆的休憩，我們改乘客船回到出發的地方——水濂洞，船主解開縴繩時，船開動的馬達聲噗噗響起，船滑過水面，白浪滾滾。過去的像船行駛的痕跡很快的消逝，而留於未來的是永恆不滅的念意。這次的健行彷彿重溫一次的舊夢，也更加深了我的懷念。

　　（刊於 1975.12.8《青年戰士報》「青年園地」／收入《追夜》）

活潑的一羣

「老師，我們可以做測驗了吧！」

「可以開始了，就照著說明書上的步驟去做……」劉老師說著，一羣小朋友在旁大聲喧嚷，使得她必須提高嗓門：「待會兒做的時候有問題再來問我，現在人數都安排好了，對象你們自己去找。」

今天，我們來給這些小學生做「瑞文氏測驗」，原先沒有充份的準備，劉老師就宣布今天讓我們去實習。進來師校兩年多了，可是頭次嚐到這種新鮮味。心中油然升起從未有過的喜悅——這種伴著驚異的喜悅是植根於心深處的渴慕，當我擁有了這個機會，沒有別的指望，唯一使我樂於去接觸的永遠是那一羣充滿童年歡樂的小玩伴。

純真、活潑、可愛掛在他們靈慧的臉上，有數不盡的歡笑讓人去掬取。當我也用心靈去感受時，無上的滿足牽引著我，走向他們的世界——他們的世界啊！使我活在過去和未來的夾縫裏觀望，觀望這個有情世界賜給人一種歡愉的力量途示他走向生命的里程。

劉老師跟他們說這是「填圖樣遊戲」，小朋友一致欣喜以待。小小的心靈讓人容易聯想到美好的

詩意，我們所要給他們的正是富有詩意的純情，不忍刺激到他們的小心靈。我暗自感動著，儘管他們會不經意調皮的逗你，嘴角一絲淺笑仍掩不住亢奮的心情，隨即觸發熾烈的意念，急於脫去那一層現實老成的外衣，加入他們蹦跳的行列。此時，我覺得心境靜得有如他們的純潔。該我付出的時候，容不得有絲毫的吝惜，我所執著的不是別人所能忖測的呵！

「小朋友，你的反應很快，很不錯，你喜歡它嗎？」

「喜歡！」

做完了一個，令人難以相信小學一年級的兒童有這樣高的程度，談吐間益發使人喜歡他們。聰慧、靈巧，在他們之中這是普遍的現象。我發覺幾年前跟現在或者鄉村跟都市的兒童都有不同的典型，許多人會認定現在的兒童比過去的兒童聰明多了，都市的兒童也比鄉村的兒童活潑多了。或許是他們生長的環境不同，都市的孩子無論從那方面去證實，都要比鄉下孩子佔便宜。我們不能一味的護著都市的孩子，而忽略了尚有無數待人啓智、開引的鄉下孩子。田野風味，綠山碧水孕育他們的靈氣和慧質，都市孩子則缺乏自然的陶冶，各有他們值得驕

傲的一面。無分軒輊的啓導他們，才是成功的教育
。

　　我們這羣喜歡湊熱鬧的大孩子，把全部的測驗
做完後，帶他們玩遊戲，望著整片黑壓壓的蘿蔔頭
，實又忍不住「赤子之心」的湧現。當他們得寸進
尺糾纏你的時候，你的笑聲比他們的喧嚷聲還要大
，樂得你合不攏嘴來。

　　「我們來玩老鷹抓小雞好嗎？」幾位小女孩互
牽著手想徵求我的同意。

　　「好啊！誰當老鷹？」

　　「你！你！你！」

　　她們直指著我，爆出一連串如銀鈴的笑聲。看
我這隻「大老鷹」不把她們這羣「小雞」吃光才怪
哩！

　　「好！要抓了！」

　　帶頭的「母雞」瞬即張開手臂護衛她的「小雞
」，看來蠻有一回事。為了不失精采的表演，「大老
鷹」也擺起架勢做俯衝狀，嚇得「小雞」一潰而散
。後來我自動要求當「母雞」，她們説我是男生怎
能當「母雞」？正在爭執不下時，劉老師跟最後一
批同學要回校了。我不得不走，向她們説聲再見。
雙腳剛踏出一步，從後面逕衝來一位小男孩，一股

勁的抱住我，向我討口香糖，還要求我把他抱上來，倒蠻會享受？過過癮也好！我說他門齒沒有了，還能嚼口香糖嗎？他還是不承認沒有門齒嚼東西會不方便死纏著我，不得已只好開出一張難以兌現的支票：「下次來，再帶給你。」果然他答應了，又跑回他們的夥伴那兒去。望著他瞬去的影子，不禁莞爾一笑，提著測驗範本拔腿就跑，一路上猶反覆想著那一張張爽朗的笑臉。

（刊於 1975.11.18《青年戰士報》「青年園地」／收入《追夜》）

這一天

清晨，在一陣ㄠ喝聲中醒來。原以為做了一個惡夢，孰知睜開眼睛一瞧，正好跟父親打個照面，模糊的視線沒看清他的臉色。一骨碌爬起的當兒，聽見父親半埋怨半慍怒的說：「還不快起來！當閒人的不早點睡，老是起得晚。」

今早父親似乎有點急躁，脾氣一反過去的溫和。我看一下腕錶，才六點正。大概是昨夜被名人的幽默文章著了迷，近午夜才就寢；不料一大早就被開戒，真不是滋味。

「那些菜幫忙炒一炒。」父親說著，逕自去理一些工作用具。

瓦斯爐上半鍋飯，還未煮熟就先逸出一股焦味，火力太強了，轉小些。盥洗都來不及，為了趕時間，已顧不得細蒸慢熬，兩三下飯菜已上桌。暗喜自己有這一套，手淨明快，不拖泥帶水，不然應付不了這千鈞一髮的時刻。做工是不能不吃飯的，假如誤了班車，今天也甭想賺一文錢。

飯包準備好了。父親臨出門前吩咐著：「待會你媽醒來，稀飯煮爛些給她吃，要按時吃藥。」

前後不到十分鐘，睡意全消，也許經常緊張，

一做完事，整個人突兀的跌坐在椅子上，失神的呆望著，忘記了該做什麼。

　　早晨的陽光，像睡眠不足似的，一點也不明朗，炊煙嬝嬝的屋頂有著消化不良的灰青色煙霧。說也奇怪，許多念頭竟被一聲麻雀的驚叫給完全打消。無心再瀏覽晨景，踅返入屋，收拾膳後。一直想著該看些什麼書好？在屬於自己並不多的時間內，應充份的利用。自從母親臥病以來，服侍的時間我是無法旁顧的；尤其住院那幾天，經常是熬著過來的。現在可好了，母親回家養病，心理負擔也減輕了。對了，一堆積了兩三天的髒衣服，乘便清理一下。以前左鄰右舍的人看到我在洗衣，總會咋咋兩句，說什麼男孩子也會洗衣煮飯，實在了不得。不知她們是在恭維還是揶揄？難道男孩子就不該做這些事？見怪不怪！現在的女孩子到底有多少甘願屈就？恐怕煮一頓飯都成問題。不過，我還是做自己的，管它是讚美或蔑視也好。

　　慢條斯理，我是不習慣的；尤其幹這些粗活，做不完絕不罷休！做事講求效率，而快並沒有減低效率。我常解嘲的對自己說：這樣的生活不能長久，如果這是生活的全部，我寧願捨棄。捨棄後，我有我的天地，那是滿足又愉快的。事實上，我不能

！理想在現實中是要被埋沒的。既然這是生活，我必得接受——且得高興的接受！

看，洗衣服不也是一種享受嗎？我可以少去管手的動作，思維是無形的翅膀，遨遊於藍天白雲之間，詩的王國！童話的王國！更有我的夢鄉……沒有累的感覺，即使有，也只是一陣痠痛閃過罷了。

上上下下照顧妥了後，即興抽出一本《禪的分析》，裏面談到一點：不執著於問題是禪的精神之一。那些禪師們每當門徒執著問題苦乞請益時，不做正面點醒指示迷津，而以看似滑稽或無關的動作及言辭來回答他們，等他們頓悟了，才算進入了禪的境界。唯一讓人想不透：他們既不執著於問題，那麼所修者何耶？也許我是門外漢的門外漢，無法參透這一點。

到附近圖書館閱報回來，已近午時。兩封信倒栽在書架上，一封好熟悉的筆跡，定是那位最愛發牢騷的騷客的，果然是他。幽我一默後，便牢騷到底。他說回到家裏，天天面對千篇一律的生活，感到乏味，又孤獨無伴，簡直耐不住寂寞要衝出那鳥籠了。信擱在一旁，我無可奈何的一笑，到底什麼樣的生活才滿意？另一封是老黃自成功嶺寄來的，那邊生活一定很緊張，寥寥幾句，便結束了他想說

的。想想今年暑假，自己不也是要去見識嶺上生活？想像中嶺上生活新鮮而刺激，恨不得今年寒假就去。

么弟玩了一身泥巴回來，鄭重其事的宣布他帶來的消息：「哥，聽著！剛才有位郵差送掛號信來，因為找不到你的圖章，叫你到郵局去領。」匆匆又趕到郵局，三角臉的會計員咧嘴一笑，搖搖頭：「還沒回來，下午再來領。」

這趟白跑了，急也沒用。我那會有掛號信？想不透，唉！不想也罷！下午領回來，拆開一看，只是報社寄來的一張匯票，害得我連午飯都狼吞虎嚥，急著趕去，現在胃還隱隱在作痛！

母親叫我去標會，原都是母親販魚的夥伴，事後都跟隨到我家來探望她，似乎她們早做了準備，送水果、送錢的，盛情讓人無法婉拒。每人講幾句安慰話，給她打打氣，就走了。母親感動得淌下淚送她們走，這人情不知何時才能報答？

歇一會兒吧！今天著實太累了，站著有睡意，躺著頭腦卻清晰得很；老想著發生在我們周遭的一切，回憶，回憶，啊！我不要想了。突然，咿呀一聲，門開了，是父親回來了。「啊！這麼早……」我在心中驚訝的喊著。

「你去領工資，圖章帶去。」

倦容的父親，低啞的嗓門。我默然的接過圖章，徒步前往礦場的事務所領工資。回來天已快黑了，霏霏細雨緩緩下著，客運車一班一班的擦身而過，我的步伐只好加快些，擠汽車我是最不願意的。

晚餐，一家人窩在小屋子裏，倒也挺愜意的，讓外界朔風狂吼著，暴雨瘋狂的斜打著屋脊，屋內正洋溢著一片溫暖。最令人欣慰的是母親的病漸有起色，我們亟盼她快痊癒，因為任何加諸於她的痛苦都是不公平的，她為我們付出了相當大的代價。

夜已深了，願自己也願別人今夜有個甜美的夢。明天兩處必定要去的親戚的邀宴，今夜就讓我先品嚐吧，我已累了！

（刊於 1976.2.27《青年戰士報》「青年園地」／收入《追夜》）

老大的滋味

　　每次問起朋友的排行，而所得到的答案是「老么」時，心裏的感應總是羨慕和喪氣並起。羨慕的是：老么在襁褓中就已備受呵護和撫慰，及幼又受兄姊們友愛的溫沐，那種最幸福的生活。喪氣的是：命運似乎早已註定當老大的人必須擔起「特殊的責任」──那份無形的「枷鎖」就顯得無比的沈重。

　　父親本身就嚐盡了此中辛酸。他常安慰鼓勵我要做好榜樣，勇敢的面對現實。以我現在的情境比起父親一生中的經歷，我是幸福多了。

　　父親十四歲那年，祖父右手因被毒蛇咬到不治而成殘廢，一羣嗷嗷待哺所仰仗的人已失去謀生能力，那份重擔無疑的落在父親肩上。家道從此在慘淡經營中渡過十一個年頭，父親一生的前途也斷送在這樣窮困的奮鬥、掙扎中。那年甫過半百的祖父壽終正寢，十位遺孤與母相依為命，痛失親人之餘，誰能想像那種日子是怎樣熬過的？寶貴的生命，長年跟鋤頭為伍；青春的消逝，有誰憐憫？父親幹過水泥工、苦力，也當過發電廠員工；就在當員工時，有一次升遷的機會因跟人發生齟齬而辭了職。

最後不惜和生命賭注，走進了礦坑。白天在那黑漆漆的世界裏傾注勞力，默默的消磨過無數的歲月，直到現在。

望著他佝僂黃瘦的身影，不忍想像那乖舛的命運殘噬一個人還繼續鏤深那歷歷的舊痕，呵！感恩和愧疚，令人含悲落淚。

打從懂事開始，不曾聽過父親提及往事時而有半絲悔意，他仍孜矻的工作供我們上學，即使家境再拮据，咬緊牙關，隱藏痛苦，也從不讓我們失望。而我對於生活的擔負，彷彿很遙遠的事。

頗有景氣的家業，慢慢的即將興旺起來。但誰也沒料到，接踵而至的是家族失和，最使人痛心的是因此而告分裂，受打擊最大的還是父親。這時父親才醒悟：一羣孤兒翅膀都已長硬了，便忘了那段茹苦含辛培育的手足深情。毅然走出這個家，父親惦念的只有老祖母晚年的生活。然而，身邊這個包袱卻提醒他：只有再度堅強的揹起來，往後顧盼是多餘的。命運製造了不可宥恕的結局，看開了那原是一場夢，另一個開始才象徵著真正的希望。

我永遠不能忘記小學畢業那年。遷居不到兩年，舉家仍在窮困中打轉，目睹此情境，還容我躊躇？立即該下決定了：就業去。父親得知後，真的動

怒起來，聲色俱厲的喝斥，宛如不可抗拒的怒濤逕
衝向我而來：「你有什麼理由不升學？除了安心唸
書外，還有什麼可讓你操心的？說！」我答不上話
來，我沒有勇氣將我所想的坦白說出來，那將會使
雙親失望，只有默默領著他悽惋的訓戒：「你內心
想什麼，我也許知道，但你也該想想。多年來那一
個波折我們沒克服了？供你唸書是我們的責任；你
不曾想到當年想讀書的人都沒得讀，而你現在自己
要放棄？何況你是老大，將來弟妹都要靠你攙扶、
提攜，如果你第一步就踏錯了，那我們家只好永遠
的窮困下去。」

　　只因為我是老大，為雙親所寄望的人，受苦的
應止於這一代，這是雙親不原諒我輟學的原因。

　　我常想：艱困的環境並不足懼，可悲的是有的
人情願將自己鬆軟下來，終被它所吞噬。

　　自我意識現實的生活是必然的磨鍊後，深信潛
蘊的能力足夠我向命運挑戰，該自立的時候，就應
試著去做，仰賴別人到底沒有紈袴子弟那麼福逸。
何嘗願意聽人說你懦弱，是在父母心目中永遠長不
大的孩子？

　　雖然在思想上我極盡盲目的摸索，但在生活的
試煉中我仍是資淺的人，我沒忽略繁縟的瑣務仍是

最切實的體驗。生活本是一部邊欣賞邊思想的書，只要不埋沒那天賦的良知，何事還令我裹縮、畏葸？

父親常因不能在學業上指導我而時有愧言，而我對於弟妹們益形器重，開導他們，使他們漸離愚昧的束縛，輔助他們在教育的薰陶中走上光明的道路，而前途則決定於他們自己去體認、奮鬥。就像雙親的心願，不要再同他們一樣的賣勞力、做苦工就好。父母的劬勞雖然不望我們報答，但他們付出的心血不是白流的，灌溉一株幼苗欣見它的成長、茁壯，有了安慰，也就心滿意足了。

如果我不是為長的話，也許不會訓練我這些。體驗到的苦難要比弟妹們深一層，而生活的改善往往叫人忘了過去的一切，這都是前人的福蔭所賜。我可不去縈念過去，但不能忘記目前的責任。這個責任不再是可憂懼的東西，我應以擁有它為幸。

（刊於 1975.8.24《青年戰士報》「青年園地」／收入《追夜》）

迢迢天涯路──給致遠

這不再是一個令人欣喜的季節！送人或被人送，揮別的不只那款款的深情，更有數不盡的歡樂時光。想到我們分離後，日子將要變成何等的蒼白？

你說這時鳳凰花或許已開遍了家鄉的小山坡，你將回去造訪它，可能這是最後一次了。往後，天涯海角，不知棲止何處，歸程茫茫，還能瞧見那片開滿枝頭如火海似的鳳凰花？我想拾幾朵織成花冠送你，但已好久沒看過鳳凰花了，是否還有那種心情？此刻，心頭的離愁是越聚越濃了。

那天，預官考試放榜了，在歡呼的人羣中，沒有看到你。後來，在宿舍門口，看著你老遠的拖著凝重的步伐回來，頹喪的搭著我肩膀，勉強擠出一絲笑容。或許是失望過深吧，你反而灑脫的說：「只好當大頭兵去了。」我怔怔的望著你，訥澀的吐不出一句話。

那夜，許多人都去飲酒慶賀。你也來找我說：「我們也去喝一杯吧！」我陪你去了。我們都不會喝酒，坐了兩個鐘頭，一杯只沾了幾口。你說：「夠了，這還不是借酒澆愁的時候。」我知道你是很

能看得開的人，有人說：「學過道家思想的人，碰到不如意的事，都能坦泰的面對它。」我深信這句話，更相信你這時的心境已相當平靜了。可是我卻難耐這段離別前夕的寂靜。或許只有藉著往事的回憶，才能稍忘離別的愁緒。

已過去的一切，不管酸甜苦辣，回憶時，往往帶著濃厚的色彩。現在會驚訝於自己當新鮮人的土氣，而那份可愛，只有從別的新鮮人身上去發現；但當我們坐在濃蔭的樹下，談論王國維的人生三種境界時，倏忽眼前浮現著一幅淒幽的畫：院落中有一座危樓，樓外有西風摧折過的碧樹，一人獨上高樓，憑欄遠眺，望盡天涯路。曾幾何時，我們也嚐著「衣帶漸寬終不悔，為伊消得人憔悴」的滋味？滿懷的熱誠，亟於獻給別人，而當發現迎著你的雜有虛偽的面孔時，那使人卻步的驚駭和失望彷彿是迷惘的深坑，惑著人直往下陷。「眾裏尋他千百度，驀然回首，那人卻在燈火闌珊處。」那人是誰？是迷失的自己呵！他正孤獨的徘徊在燈火闌珊的角落，冷靜的思考著人生的問題。如戲的人生，誰能容易的演好一個理想的角色？

記得否？我們曾為尼采而爭辯過：「我存在，要像我自己。」我說尼采的思想是偏激的，你卻很

欣賞他的勇氣。你說：「尼采說：上帝死了，我們自由了。那股反傳統的勇氣，誰能抵得上？」我沒有反駁。卡繆說過：「上帝死了，我們的責任就更重了。」我只想告訴你，這世上大部份的人都是卡繆的信徒。卡繆並不偉大，只是他為人類開出了一條無形的大道，他看見了人與人之間的仁愛、人與人之間的責任。

未來的旅程漫長而艱辛，等著我們一步一步走過去。當我們選擇了這條路時，已意味著人生的意義和價值了。等到我們的生命快枯竭時，但願會很自豪的說：「不虛走這一生了。」

但現在才要開始，多少會玄想一些不切實際的問題。你一定會相信命運是掌握在自己的手中。此去兩年的軍旅生涯，是否能留下一段多采多姿的回憶，只有靠自己去締造了。你曾說：「一生如有幸，當走盡天涯路。」再過不久，你已是一名執干戈衛社稷的英雄了，天涯海角將留下你光榮的踪跡。我深深的祝福你。如有一天在迢遙的天涯路相會，我們再來辯論尼采的思想吧！

（刊於 1977.6.17《北師青年》第 4 版／收入《追夜》）

不是畢業——給芸芸

有一種聲音，常在我耳畔絮語，每當我想靜下來聆聽時，卻分辨不出它來自何方；疑是發自記憶的幽谷，又疑是發自內心深處一個未曾安頓的願望。我總不敢告訴你，它神秘得連我都不敢大意的去揭開它。現在別人等畢業的心情是那樣的急躁和興奮，而我卻連畢業是怎麼一回事都不曾想過，難道這不是要畢業嗎？

五年來，宛如生活在一個溫暖而舒適的巢裏，備受師長的呵護和培育，從不知成長的過程中我們已蒙受了多少的恩賜。但轉眼間，只覺得翩翩少年的美夢已不再了。過去或許像一隻羽毛未豐的雛鳥，從未飛離母巢，去親臨廣闊的世界；那時雖然也羨慕別人的成就，但卻沒有體驗到成就的背後隱藏著多少人生的慘澹和辛酸！現在我也將要扮演一名「開拓者」的角色，才感到美夢或憧憬只是現實外一個虛無縹緲的影子。此刻，內心又糾葛著多少的懊悔和痛惜？呵，一種揮別的黯然的情緒，騷擾得我徹夜不眠，臨風筆書，你可願聽我傾吐一些離愁別緒？

當預官考試結束後，那幾個月所過「三更燈火

五更雞」的生活，霎那間便被我淡忘了。不是我洒脫或是健忘，而是那種孤注一擲的「戰鬥」，使我變了人樣而亟於想自我解脫的緣故。那天考完最後一科，要返校，在車上聽到一位師大的學生感慨良深的說：「四年來，只有這次預官考試最用功，也學得最多。」我差點喊出「可惜」兩個字，那四年寶貴的光陰，如流水般的過去，沒抓住些什麼，誰也會感嘆的。反觀自己一事無成，已被列入畢業生的名冊上，能不暗自欷歔？在那一場鏖戰中，我曾痛思過，想要將來有點成就及對教育有點貢獻的話，不是像現在這麼散漫，這麼不求長進，所能終底於成。每夜臨睡前，聽到從臥龍街傳來早鳴的雞啼，內心又有一種說不出的感觸！為何自己老是像在月球上漫步？而不會像一名驍勇的戰士，翻山越嶺，永不回顧的往前衝刺？經過一個短暫的寒假，返校後我給自己配上一條無形的長鞭，隨時鞭策自己跳出因循、怠惰的樊籠，想做一個自認為驍勇的戰士，從苟且偷生的溫床奮起，為自己殺出一條生路來。

　　從此我比以前更沈默，一枝禿筆也荒廢了。雖然很愛爬格子，但那已成為往事了。只把全付精神都專注於圖書館一套套的教育叢書上。天天勤看那

些書，勤做筆記。此刻方感到過去如能多去發掘圖書館這座寶藏，今天也不必著急帶不走那麼多知識和前人的智慧、經驗。現在你該明白為何那段日子，我對你特別冷淡的原因。也蒙你的體諒和默默的鼓勵，讓我能安心埋首於那些書裏而不旁騖。現在倒覺得有點對不起你，因為有時自己也太「無情」了。

　　我感到很慶幸，有幾位良師在啓迪、教誨我們，而最有收穫當數實習課了。加上自己課外旁求印證，等到要去集中實習時，緊張的心理可減到最低程度。於是在實習中除兼行政工作較難辦外，一切尚能應付裕如。但自知這仍不夠好，還有待磨鍊。因往杏壇這條路，自己只跨出第一步，沿途上還不知有多少的荊棘和叢林呢！集中實習結束後，我曾告訴你，要離開那，師生互擁而哭，不捨離去的情景，及日後孩子們的信件像雪片飛來……現在想起，還心酸得想哭。那羣可愛的孩子，為何那麼喜愛我們這些年輕的老師？只因為我們付出了愛和熱誠，引起他們活潑、快樂的氣息。在不得不割捨離別的頃刻，「眼淚」就成為我們永恆的信物。如有位孩子說的：「我們並不是真正的離別。」彼此會永遠記得對方及那段歡樂的時光。這時我深深體會

到奉獻精神和學識才能，才是將來安身立命的關鍵。身負使命尚未完成，永不能終止奮鬥！

似乎我說得太多了，會嗎？向來，我不大願意跟人談抱負，談理想，彷彿談多了便淪為空想，不切實際，遠不如默默去做來得真實。你在校時間還長，但願你能好好把握住，過得充實一些。千萬記得別像我過去那樣懶散、猶豫，徒嘆韶光不再，而不知去利用它。過去做錯了，就不要再後悔，趁現在年輕一切都可從頭開始。

預官考試已放榜了，沒想到會中上別人所愛恭維的「憲官」，害得我每天要做半個鐘頭以上的健身運動。往後的日子很難逆料，不過我相信自己禁得起考驗，不必為我擔心。最後我想說一句話：「**這不是畢業。**」任何學問、道德修養、專業精神不是在這有形的學校可學盡的。出校門後，在那更大的無形的學校裏，我們仍要勤快的去學習。你說是嗎？

（刊於 1978.6.20《北師青年》第 2 版／收入《追夜》）

卷七　懷念的人事物

但願能有較少遺恨的明天

　　師專後兩年，學校安排王秀芝老師教我們國文。王老師對我課堂上的作文頗多謬獎，還常拿我的文章去參加徵文比賽。頭一次被人讚賞，心裏原有點高興，但很快就被另一種壓力沖淡了。

　　在這以前，我有一段曲折而難堪的經歷，很想忘掉它，卻不意在蒙受老師的讚美中益加深刻，以致憂念終日，不知如何是好。當時腦海中浮起的，總是發生在小學五年級的那一幕景象：學校要選拔作文選手，新來的老師還沒搞清狀況，就帶我去辦公室參加甄選。總共有二人，一個是我，一個是隔壁班同學。指導老師出了一個題目（類似復興文化與某某的題目），要我們寫。霎時，我完全傻住了。才剛從分班過來，根本不知道有作文這回事，更別說要怎麼開頭作文了。看著對面的同學埋頭疾書，我急得汗流浹背。每有老師走過探望，我就用手肘掩住稿紙，生怕被他們發現上面完全空白，全程如坐針氈，顏面盡失。

　　此後，再也沒有人派我去參加作文比賽。只是那一次不愉快的經驗如影隨形，始終揮之不去。尤其到了國中，常有作文的機會，依然苦思不得成篇

，非常惱火，但也無可奈何。有一次，到一位文思敏捷而下筆千言不休的同學住處，看見兩架滿滿的課外讀物，驚訝得不能自已！原來他筆底源源不絕的材料，就是來自這裏，而我？到現在沒看過一份報紙，也沒看過一本課外書，就算腦筋絞盡了也擠不出什麼東西。聯考前，聽同學的建議，背了幾篇報紙的社論好去應考，但暗地裏還是很心虛。

　　上了師專，全新的生活漸次展開，見識日廣，交遊增多，發現別人都能舞文弄墨，內心舊有的痛處又隱隱發作。為了一掃前恥，我狠心省下生活開支（甚至不惜向人借貸）買書來看；而一有空，就上圖書館或活動中心去閱讀書報雜誌，以彌補過去的荒疏。同時我也開始寫日記，嘗試投稿，來鍛鍊文筆。不久，我的文章就在報紙和校內刊物出現了。朋友見面，免不了一番恭維。而部份師長也知道我會寫文章，言談間勗勉有加。然而，我依舊開朗不起來，胸中盡是焦慮和不安！

　　這時我並不怨怪過去老師沒有調教，也不後悔家窮無力購置書報，只懊惱突破不了眼前的困境。成堆的退稿，在我指間碎裂；生澀的書刊，在我眼前閃爍。到底要怎麼寫才會精采，要怎麼讀才能理解，幾乎沒有人能告訴我。每天陪我熬夜的，除了

書籍、稿紙，最多的就是困惑和煩憂。當王老師發覺我還有一點文采時，我卻深深感到汗顏，以為些許小技，何足掛齒！老師愈嘉勉，心裏就愈惶恐，不知道何時才能「撥雲霧以見天日」？雖然如此，我還是很感念王老師的厚愛。她不時的鼓勵，「逼迫」我加倍進取，以免再像過去一樣交白卷。

　　現在我還保留著王老師手批的文稿，不論眉批或尾批，多有溢美之詞。當然也不乏「勿杜撰新詞」、「向光明謳歌，而不向黑暗狂吠」之類的戒語。特別是後面這兩句話，常使我想起課堂上王老師義正辭嚴的臧否人物，看似相互矛盾，其實不然。別人臧否人物，大多出於偏嗜，並且窮以揭人陰私為樂；而王老師不但謹守「無諸己而後非諸人」的原則，還能提出具有建設性的意見。這就不同於他人會流於攻訐謾罵，狀似吠犬，給人惡劣的印象。王老師常說：「我教過的學生，不希望他將來以他的老師為恥。」這句話不僅隱含了她誨人不倦可以無憾的旨意，也隱含了古來儒者傳道期以淑世的心聲。

　　我不敢說已經達到老師所期許的境界，但多年來發言著述，一秉師教，所求只有一個「問心無愧」，稍稍可以告慰師門。只是學問路途多艱難，在

懷想老師的感喟聲外，還有一份委屈求進的辛酸，無從向人訴說，過去是如此，現在也是如此。「世上沒有一個長駐的春天，我不能尋回絢爛如春的昨日，但願能有較少遺恨的明天。」這是一次上課，王老師引來勉勵我們的話。已經默誦多次，總覺意蘊深遠。試想今天所有的努力，不正是為了使明天有較少的遺恨嗎？回顧平生種種作為，竟然只暗守著王老師這一句話，不覺莞爾！

（刊於 1992.9.28 林萬來主編臺灣書店版《青青子衿　悠悠我心（王秀芝教授榮退紀念文集）》／收入《追夜》）

懷恩師

在一般人的觀念中，勞作課像是生活中的調劑品，難得會以嚴肅的態度去對待它。殊不知任何一種學問或技藝的習得，絕不是以輕浮的態度就能望有收穫，必須孜孜不倦的下苦功以求得。這是我從教我們勞作的陳望欣老師那裏，所體認的一個事實。

陳老師是個做事一絲不苟的人。不僅律己甚嚴，對於受教的弟子督責也不從寬。他常訓誨我們說：

「不要看勞作這玩藝兒，只是『雕蟲小技』，就算是『雕蟲小技』，你一生想弄通並不容易。何況在勞作方面還沒有萬能的人，而你所學的只不過是拾人牙慧罷了。」

經他這麼說，我常汗顏的思忖：老師的技藝造詣恐怕我們一生都無法望其項背，怎能學到一點皮毛就自以為神氣而妄自止進了？古人說：「學如逆水行舟，不進則退。」學習一項技藝何嘗不是如此？只要一有自滿的跡象，便難以臻於上境。

陳老師讓我敬服的地方，不只是技藝方面的造詣，還有誨人不倦的古道熱腸。

　　起初每上他的勞作課，聽到他講「做人處世」的道理，許多人都昏昏欲睡，我也無端的感到厭煩。可是漸漸地我發覺他所講的道理都是有感而發，都是他的人生經驗，而不是無的放矢，不像我們年輕人喜歡高談闊論，空洞而不切實際。有一次，陳老師因故遲到幾分鐘，我們在教室裏無所事事的抬槓聊天，甚至在工作枱上嬉鬧。當陳老師進入教室看到這幅景象時，臉色遽變，待我們鴉雀無聲後，他很不悅的詈罵道：

　　「你們這樣像一個要當老師的人嗎？你們這種行為被外人看到，不會被恥笑嗎？今天即使不是你們的老師，我也要干涉你們。我是一個納稅人，你們所使用的公費，也有我的一份在內，因此我就有權利糾正你們，告訴你們這樣做不對！」

　　一席話像旋風般猛地撞擊我的心扉，使我跌入淒然的疚責中。從來沒有人像他一樣不厭其煩的提醒我們，給我們耳提面命。我深覺慚愧，好像處處都不知自我惕勵，還得讓老師那麼痛心的來指責我們。從那次後，我們知道收斂自己的行為，不敢再放肆。

　　陳老師也是一個虛懷若谷的人。他從不炫耀自

己的才能，只有苦口婆心的勸諭我們向學，將來當
一個好老師。他曾帶點嘲弄的意味說：

「即使有的老師是飯桶，也有值得學習的地方
，因為他吃的飯比你還多。」

往往兩堂課下來，我們沒有習得什麼技藝，卻
獲得了許多無比珍貴的金玉良言。雖然陳老師常說
：「我是一個很愛嚕嗦的人，看不順眼的地方就不
禁要嚕嗦一番。」但我卻無由的愛聽他的嚕嗦，彷
彿一日無它，就有缺憾。直到現在，我仍然懷念那
段聆聽教誨的日子，永遠記住老師在我們耳旁所嚕
嗦過的話。

※

向來我就嗜好國文，對於英文常覺艱澀難學，
幾度想放棄。奈何學校的課程偏有英文一科，為了
應付考試，不得不逼迫自己窮背英文。但在師專第
二年，換王天生老師來教我們後，一切的情形都改
觀了。

王老師不要我們死記英文，他帶來了新穎的教
學法，訓練我們讀和說，跟以前老師講學生聽的方
式完全不同。他最注重的是讀書的心得，以及將感
想試著用英語口述。他是留美學成的碩士，教學有
一套方法。在我的經歷中，他是非常令我佩服的老

師。

王老師有驚人的記憶力。他使用的教材，都在他腦中那部無形的「打字機」裏，使我們一面聽他教學，也一面欣賞他那唱做俱佳的表演。尤其他那雄渾而高昂的嗓音和富有變化的表情，常使人為之沉醉，為之振奮，為之讚嘆！他在解釋一句話，能夠引伸很多實例，演繹許多哲理，而都出之以詼諧幽默的話語，令人時而捧腹大笑，時而拍案叫絕，事後還能使人回味無窮。

無可諱言的，只有跟王老師在一起時，才不會覺得上課枯燥乏味，永遠有聽不盡的笑聲。我們學習英文的興致，遠比任何學科濃厚，因為我們擁有一位這麼風趣而博學多識的老師。

在課堂內，王老師的英語縱橫無阻，但出了課堂，他卻緘口不說一句洋文，不是他有所吝惜，而是他已修養到使人可望不可及的地步。另一方面，他做人又隨和得近乎朋輩，絲毫也沒有師長的架勢。課餘經常在球場上跟我們玩球，他把課堂上那套詼諧的動作搬到球場上，不論是我們或是旁觀者，莫不被逗得前仆後仰，而忘了下節課他就要板著臉孔叫我們回講課文。

雖然王老師是那樣一位富有幽默感的人，但在

我的感覺上最深服他的地方，不是他表面的風趣，而是寓於風趣中對於人生哲理的擁護和執著。只有能細心去體會的人，才會了解他的心是多麼的虔誠，他的態度是多麼的壯嚴。

一篇麥克阿瑟的〈為子祈禱文〉，在他的講解中，使人領悟了多少人生的哲理；一首〈西風的故鄉〉的詩，在他的詠誦中輕吟出的那份幽淡的閒愁，又使人多麼的沉醉；而一首〈老黑爵〉的老歌，參在歌聲裏的那種無常的人生際遇，又是多麼的令人心折。

在兩年的受教中，使我真切的體驗到人生的價值，而這價值必須建立在樂觀的奮鬥上。從王老師無意中吐露的一句心聲：「在這種昇平時代，不多讀點書，還要等到什麼時候？」我深深的感到生命不是一個空洞的東西，只要認真的正視它的存在，發憤去充實生命的內涵，擴而充之旁澤他人，也能算是不辱父母所賜之軀了。

　　　　※

「向光明謳歌，而不向黑暗狂吠。」這是教我們國文的王秀芝老師，在我第一篇作文上的評語。我一直將它視為座右銘在躬行實踐。那句話的涵意非常深刻，修養未達成熟的人是難以做到的。

　　師專五年，王老師只教我們後兩年的國文課。時間雖短，我對她的感恩和懷念卻特別深。由於王老師一向要求相當嚴格，即使受教的人畢業後不再記得所學的東西，但卻永遠不會遺忘老師的教誨，以及老師那副嚴肅中帶慈祥的影像。

　　剛開始，我們都很不習慣王老師的步步緊逼。不僅要熟習課文，還要閱讀課外書籍，對於作文一項更是不放鬆。作文簿上的錯別字她最為深惡，絲毫也不放過。上她的課，我們有三怕：一是怕她那雙會看穿人的眼睛；二是怕她教我們口頭回講；三是怕她揪出我們的錯別字。因此，在課堂上我們「如履薄冰，如臨深淵」那樣膽戰心驚。連平時上課就昏昏沈沈的人，遇到國文課，都不敢不正襟危坐。我們也不敢犯錯誤，只要稍為犯一點差錯，一定逃不過王老師厲聲的指責。當時我們互相感嘆：讀了那麼多聖賢書，仍然這麼幼稚，動輒被老師挑出毛病來！

　　然而，經過一段時日後，我們了解了老師耿直的個性，也適應了她的教學法，因而感到有這樣一位良師在教導我們真是我們畢生的幸福。王老師是一個嫉惡如仇的人，不容許人留下污點。她常說：「人有缺點，還可以改正，但一染上污點後就難以

洗刷乾淨。」社會的風氣也是如此，一旦進入奢靡的境地後，就難以再擁有原來純淨淑善的面貌。王老師雖然是這樣一個時常痛陳時弊和規勸我們學好的人，但她從來不會發牢騷和喟嘆。只有懷著一股誠意告知我們真相，從而盡一點匡正時弊之功，或者導正自己偏差的方向。

王老師也常引用〈大學〉上的話說：「有諸己，而後求諸人；無諸己，而後非諸人。」正因為她「無諸己」，才能義正詞嚴的「非諸人」。我們一般人都不是在「無諸己」後再「非諸人」，大多是一味的「非諸人」，這就難以達到像王老師那樣的境界。

在課業方面，王老師也常從教材中印證許多做人做事的道理。她講課說理都非常精詳透徹，而且旁徵博引，務必要讓我們真有所得為止。往往她會為一個有蘊意的語句，解說一大篇道理，連帶引徵某些現象來印證，使我們避免走入知識的胡同，變成毫無用處的書生。

經過兩三年了，我還深記著那些箴言諍語，尤其那句「向光明謳歌，而不向黑暗狂吠」更時常在我腦中盤旋，指引著我在人生旅途把握一個正確的方向，做點有益於社會國家的事。

　　　　　※

　　還有一個影響我很深遠的人，那就是我們的導師王鴻年先生。

　　五年的時光，我們和導師雖然不是朝夕相處，但每次相聚我們都可以聽到他諄諄的教誨，以及談他學問的經驗。當時年紀還輕，少不更事，總認為老師的話太過迂闊，不肯向學。可是當我們要揮別母校，突然發覺什麼也沒學到時，後悔已來不及，五年的光陰已悄悄地從指縫間流逝了。

　　王老師是個教育專家，一生累積了不少的著作。他不但能寫，而且能言善道，從來沒有看到他帶著課本或講義來上課。最令人驚奇的是在他滔滔不絕的講課中，能夠要言不繁的用幾句話來點明一個問題的主旨，而幾個問題連貫下來自成一個體系，使我們不費力就能習得完整的經驗。每次上他的課，我都暗自期許老師會忘了下課的鐘聲，一直講下去，直到彼此都疲累了為止。

　　五年級時，王老師帶我們教育實習。在這以前，有關各科教學活動設計的編寫，我一概模糊不清，更無法把握教學的步驟。等到王老師教我們實習課後，經過他悉心的指導，多次的觀摩教學，及自己親身上臺試教，我才漸知各科教學的過程。至於

教學的方法和技巧，也間接的學到一點經驗。由於當時王老師對於我們的每一份教學活動設計，都做了詳盡的批改和修正；對於每一次試教，都要我們預先作充份的準備；而在每一次試教或教學觀摩後都要舉行檢討會，並總評其得失，才使得我們確確實實的明瞭有關教學的實質問題。畢業前，三週的集中實習，從學校行政到級任工作，幾乎我們都親自嚐試了。倘若沒有老師平日嚴格的督導和訓勉，教育實習時我們就無法勝任那些繁重的工作。

這對於我爾後在小學服務的影響相當大。凡是教學上的問題，都能夠應用過去的經驗來解決。即使有再大的困難，經過深思熟慮參研書籍，問題大都能迎刃而解。這都要歸功於老師多方的啟導，我才會受益無窮。

臨別時，王老師贈送我們一句話，他說：「假使你們真心要走教育這條路，希望你們都要成為一位完美的老師。」細想他的贈言，我終於明白了過去老師那樣苦心積慮的教我們，就是希望我們能完美無缺的為人師表，我怎能不時時警惕自己。

畢業後，實地接觸了教育的工作，益發體認那些話的真確，也愈感激良師誨我教我的恩情。

　　※

　　所有令人懷念的日子都遠去了，只有這些老師的形影常駐在我的腦海。每當靜夜迴思，也不禁要發出幾聲低喟，感嘆自己在學業上毫無成就，竟連最有希望學得的英文都被我拋於千里之外。雖然如此，我依然深感榮幸有這些恩師，引導我走上人生的坦途，他們的恩惠豈止比海深呵！

　　（刊於 1980.12.4《青年戰士報》副刊／收入《追夜》）

鴻濛要開

　　住宿生活有諸多不便，但學校從校長到教官都相當開明，並沒有片面要求我們死板過活，大家都可以盡情的學才藝、談戀愛，甚至到校外兼差賺錢貼補家用。我既然一頭栽進了文字堆裏，就狠下心準備當一個專業的文人，不斷摸索出路。當時投稿也有了一點成績，校內外刊物常登出我的文章，藉此益發印證從書裏看來的論說，一條不必拋頭露面也能成就自我的寫作路隱隱然在眼前浮現。

　　經過幾年師培教育的薰陶，我也逐漸意識到教書的命運是躲不掉了，所以試著參與一些服務性的社團和接觸相關的行業，並兼行大量閱讀各類教育書籍，還勤做筆記，以備將來教學所需。原以為這個領域不過如此罷了，就將當初的恐懼轉成輕忽以對。但沒想到當我借到一本題為《教育哲學》的翻譯書後，卻全然改觀了。我不但無法卒讀其中任何一個章節，而且感覺上它還像是莫測高深的行家敵視著我的狂妄。先前「只要肯自修無不能上手」的牢固信念，突然間被掃蕩得潰不成形！雖然哲學為我所陌生，但教育卻是早已了然於胸，為何在整本書中偏偏找不到它的蹤跡？我很洩氣的把書還了

回去，從此知道世上有一樣學問會嘲笑我的無知。

後來經由自己的苦心鑽研，當然知道了「教育哲學」裏面不會有技術性的東西，它不是在講教育的理論，就是在後設思考教育的問題，完全屬於形上抽象的道理；想要從中找出班級經營、教學技巧和心理輔導等實務策略，一定會敗興而歸。只是那時的懵懂，給我的刺激太大，彷彿有一個幽靈始終盤踞在我的心頭，讓我夜夜不得安眠。

西方人談啟蒙，喜歡從「神困人思」講起，以為人有自由意志，應該要致力於找尋專屬於人的前景，而不要一輩子活在上帝陰影的籠罩中。不意這經過文藝復興、宗教改革、政治變動和工業革命等歷程，終於促成理性大為擡頭，而開啟了現代除魅一波又一波的思潮。縱使二十世紀後半葉遭到了解構主義和資訊社會的挑戰，而自行分化為更多的小陣營，但有關理性啟蒙一事卻絲毫也沒有退潮，直到如今西方人都還在網路世界裏力拚一個新創美盛的無障礙國度。

相對的，我們傳統的啟蒙觀，僅限於童稚的啟導開悟，而不涉及自由意志、理性一類的精神歸趨。所謂「匪我求童蒙，童蒙求我」（《周易‧蒙》）、「蒙者，物之稚也」（《周易序卦》）、「無以教天下

曰蒙」（《稽覽圖》）和「蒙謂蒙昧，幼童於事多闇昧，是以謂之童蒙焉」（孔穎達等《周易正義》）等，都說到蒙是一種未知狀態。因此，啟蒙就是把未知轉成有知的過程。而這在古代，則有許多成人所編教材，包括《三蒼》、《急就篇》、《孝經》、《論語》、《女誡》、《千字文》、《開蒙要訓》、《蒙求》、《太公家教》、《兔園冊》、《百一詩》、《雜鈔》、《雜字書》、《三字經》、《百家姓》、《神童詩》、《千家詩》、《二十四孝》、《對相四言》、《朱子治家格言》、《日記故事》、《幼學瓊林》、《龍文鞭影》、《唐詩三百首》、《昔時賢文》、《女兒經》和《弟子規》等，期待能藉為「開蒙養正」，教導學童向上。這樣它就跟西方為求理性和自由意志滋長的啟蒙觀相去甚遠了。

　　我對學術的關注既然是從一本外來的哲學書開始，那麼兼有上述兩種意涵的啟蒙感覺就緣此而生了。換句話說，那本哲學書暗示我必須自啟智慧擺脫闇昧，而所對應的則是近代西方人特別專擅的理性思辨成果。這到底會激盪出什麼樣的火花，起初我一點把握也沒有。只記得當時學校圖書館全採閉架式，得先填妥借書單，交給館員後，找來書蓋好期限章，我才能一窺究竟。當天，那位值班的女

館員乍見書名，又發現我是第一個借閱，不免多瞄了幾眼，嘴裏還嘖嘖兩句：

「乖乖！這種書很硬吧，你啃得動嗎？」

「試試看吧！」我說。

把書還回去時，她握著試了一下書的溫度，半信半疑的說：

「你的勇氣可嘉，只是不知道讀懂了沒有。」

「還沒有。」我老實回答，「不過，有一天我會把它弄懂。」

（《走上學術這條不歸路》片段／加題。引入此段，只在表示我個人迷上學術自屬出生犢不畏虎的表現；同學另有崇尚音樂／健體／話術／司法／行政／經貿等也是）

北宜公路上的霧

突不破
突不破
我的坐車
被緊緊纏住

輕漫
輕漫
被籠罩下的樹
委屈地站著

兩旁林中長著
無數痴迷的眼睛
都收斂了笑容
剩下我在
狂奔

　　（寫於 1978.3 參觀羅東國小途中／收入《
　　蕪情》）

童兒四季

春天

我知道
春天來的時候
小河會唱歌

我知道
春天來的時候
花樹會跳舞

我知道
春天來的時候
天空會出現藍色的夢鄉
把飛鳥都吸引過去

只有一件事我不知道
為什麼大人聽不到小河唱歌
看不見花樹跳舞
也看不見鳥兒飛翔
還說這真是個惱人的春天

夏天

大家坐在屋裏
駭怕夏天來找人
紛紛逃到海邊和河邊
我問爸爸
「夏天怎會討人厭？」
「夏天不是討人厭，
只是脾氣嫌太差。」
「是不是像爸爸，
罵完哥哥還罵媽媽。」
爸爸捋著鬍子不說話
突然抓起我的手
「走！我們全家去山上，
這次不讓夏天一起來。」

秋天

吃完了中秋月餅
還不曉得秋天在那裡
弟弟跑去問媽媽
媽媽指著地上說
秋天不是在滿地的落葉中嗎
弟弟不相信秋天那麼近

又去問爺爺
爺爺比著天空說
秋天在忙著南飛的燕子身上啊
弟弟也不相信秋天那麼遠
只好自己去街上找秋天
最後終於發現了
秋天就在汽車的喇叭聲裏
不然空氣中那會有悠悠的迴響

冬天

聽說有雪的冬天
大人不必工作
小孩不必讀書
現在下場雪該有多好
把道路堵起來
把教室封起來
我們就有理由躲在被窩裏
或者守著電視機看卡通影片
但是愛捉弄人的北風
只會在窗前狂嚷
連一片雪都帶不來
反讓老師更得意的盯著我們說

「你們休想偷懶，
再等一百年，
這裏也不會有雪啊！」
　（寫於 1978.5／收入《蕪情》）

為 S 廿歲生日題記

收起我孤獨的心帆
泅到你身旁
那艱辛跋涉的過去
不是我夢裏向你傾訴的故事
可能荒唐得不如一疋泥布

我曾鐫刻過憧憬的理想
在即將頹敝的心版上
可是更漫長的黑夜
殘酷地
彷彿逼人飲盡所有澀苦的酒液
然後將我節節吞噬

渴望你適時的陽光
賜給我小小生命的滋潤
而回報你
便是那生來未嘗裝飾的赤誠

在這葉方舟上
航向的指標

從你引渡的堅毅裏
我已獲致一個信念
不再畏懼生命的苦痛
無所謂誓願
如同我收起的心帆上
一個不曾落腳的過去
當你相信這一切全是真時
我已安穩的躺在你柔適的懷抱裏
　　（寫於 1978.2／收入《蕪情》）

芝園別箋

長長的
一個夢
如飄浮的雲
飛入青天
驟然醒來
卻看見令人驚怖的海洋
及無垠的大地

當我還是一尾猶豫的魚
尚未游到海的胸膛
已被撞擊沈進幽閉的眠床
僅汲取絲毫的生命滋養
直到有一天
那海乾涸了
眼前出現一片壯麗的景色
發現我已不是久臥的魚
只是夢裏小小的幻影

流浪青山外
啃嚼時間的乾糧

遍地的寶藏
只鑿成無稽的千紋萬縷
行走探望攀登
有如落拓的孤魂
疲乏的形影
彷彿淚眼中不曾安頓的雲霓
恐懼消逝後
將逢起狂風暴雨
而我來自蠻荒的過客
欲往何處覓得一處棲息

悠然的春風
便這樣築起了美麗的花城
從他逃離寒冬的禁錮
就把希望散播給蒼白的土地
但又惦念依戀在他懷中的人們
遺忘了
曾被肆虐摧殘的生命

倘允許我再摘取一束陽光
我將儲存著爲夜人照明
可是呀

誰在提醒我
那只有光亮
而無溫暖呵
趕著兩隻曾走過萬里的腳
再步上還有幾萬萬里的路程
到那時
或許仍在追尋
但也將學習春風
把希望散播給沿路
千千萬萬的花朵
　　（寫於 1978.3／收入《蕪情》）

尋詩的女孩

　　認識唐琦的時候，我們都還很年輕，剛剛進入師專的年紀。

　　那次學校舉辦全校大野炊，地點在石門海邊，唐琦跟我編在同一小組。她那清秀而姣好的面貌，一路上吸引好多人的注意，包括我在內。起初我對她一點也不了解，後來有個男孩偷偷的告訴我：

　　「她以前是一枝校花呢！」

　　「你怎麼知道？」我好奇的問。

　　「我當然知道，她跟我同校呀！」

　　那個男孩說話的神情很特殊，有點偵探的味道。他又告訴我：「她還會寫詩，曾得過什麼創作詩獎哩！」

　　聽他這麼一說，我心裏有個打算：今天非認識她不可。不過，想歸想，我還沒有膽量公然的跟女孩講話，況且她是一個帶有傳奇性的人物，我有勇氣去認識她嗎？愈想愈覺心怯，一路上幾乎坐立不安。

　　車抵石門後，男孩搬炊具，女孩攜食料，魚貫的進入海邊。我們這一小組覓到一處乾燥的岩堆，開始砌石灶，男孩提水和升火，女孩切菜，一時忙

碌起來。這時我注意到唐琦的穿著，一件藍呢上衣，一條乳色長褲，顯得非常樸素。頭上烏亮的長髮微捲，襯托出略圓的臉形，真有一股迷人的風采。

起火用的木材，冒出嗆人的灰煙，圍在石灶旁的人，都被激出了眼淚。無意間，唐琦找來一片厚紙板，猛往灶上搧，濃煙才逐漸散去。幾個男孩不約而同的喊出一聲：

「哇，好過癮！」

唐琦嫣然的笑笑，眼眶裏也閃著被煙熏出來的淚光。忽又緊抿著薄唇，一句話也沒說。

窮忙一陣，終於升起了火。女孩把鋁鍋抬上石灶，將食物配料一道放進去。性急的男孩，已開始嚷著，跟女孩抬槓聊天。我逕自走到岸邊，將雙手的污漬洗淨，隨即坐在岩岸上休息。

近岸的海潮輕撞著岩石，發出清脆的聲音，遠方則平靜得沒有絲毫波瀾。秋陽和煦的照映在海面上，泛出粼粼的波光。我看得入迷了，不知何時有個女孩在身後喚我：

「喂，你在看什麼？」

那溫柔的聲音，驚醒了我。轉過頭的霎那，我訝異得張口結舌，那女孩竟是唐琦。她走過來，輕巧的坐在我斜對面的岩石上，微笑的說：

「好美的海邊，就只你一人在這裏欣賞？」

我聽不出她話裏的意思，不知如何回答她，便隨意的說：「不只我一人，還有你。」

「噢，」她微仰著臉看我，「你真會說話。」

此刻，我心裏已蹦蹦地跳個不停，臉頰也斷續地牽著動，很傖侷。約莫半分鐘後，才勉強擠出一句：

「我不會說話，請你別介意。」

她的視線轉移到遠海，不再直看我，我才鬆了一口氣，但心臟仍猛在跳動，感覺耳根也有點燙熱。

「在鄉村，看不到這麼美的海景。」她若無旁人的說。

「你也從鄉下來？」我提起勇氣搭上一句。

「嗯，」她點點頭，「那你從那裏來？」

「跟你一樣。」我說。

她又回過頭來，嫻靜的對我端詳一番，我自覺得害臊，不好意思的低下頭。

「你像鄉下人嗎？」她似頗有興致的問我。

「這一臉土相，」我抬起頭說，「你看像不像？」

她抿著嘴微笑，然後像大人哄小孩似的說：

「你應該在鄉下多待幾年。」

聽到她這句話，我竟忘情的笑起來。暗地覺得這女孩真不可思議，無緣無故跟我談這些做什麼？我們只不過初識，值得這樣深談？

偕她走回原地的時候，感覺自在多了。大夥以奇異的眼光看我，我很敏感的知道那代表什麼意思。但我強自若無其事的跟他們搭訕，好像沒有唐琦在我身旁似的。

唐琦的笑聲，像清越的銀鈴響，不時的繚繞在四周，大夥也被感染得像不斷冒出蒸氣的鋁鍋那般的快活。

那天，我異常的興奮，滿腦子是唐琦的影子，她可以說是第一個跟我談話的陌生的女孩。唐琦的隨和，及那迷人的氣質，已深深地刻在我腦裏。

返校後，許多男孩都在談論她。讓人覺得唐琦的影像，一直活現在眼前跳躍。

「你有沒有發現她的眼睛，烏亮的像一潭秋水。」

「我看她站著時，比剛出水的芙蓉還動人。」

「還有聽她說話，宛如陶醉在春風裏一樣。」

讚美的言詞，不斷地從男孩口中流露出來。唐琦的名字，也傳遍了男生宿舍。連高年級的學長，

都對她另眼相看。

　　當時社團活動很盛行，我去參加口琴社，唐琦好像加入了新潮詩社。課外的時間，我們也很少碰面，只陸陸續續的從別人口中得知一些關於她的消息。

　　第二學期開學不久，我在圖書館遇見唐琦一次。她抱著一大疊書籍從外面進來，一眼瞧見我，不慌不忙的向我問好，我赧然的回她一聲。她又說：

　　「你喜不喜歡新詩？」

　　我正想搖頭說不喜歡，但她直盯著我，似乎很鄭重的樣子。不覺跟她點了頭，並朝她尷尬的笑笑。

　　「這本詩刊送給你，」她從一疊書籍中抽出一本三十二開的小冊子說：「是我們詩社出版的。」

　　「謝謝你。」我不好意思的接下。

　　唐琦還告訴我詩集裏一首〈秋別〉是她的作品，希望我給她一點指教。其實我對詩從來沒有研究過，可說是一竅不通。她離開後，我將詩集翻到〈秋別〉那一頁，默讀了一遍，讀不出什麼味道來。大概是自己的鑑賞力太差，左看右看，仍體會不出詩裏的意蘊。不過，當中有一段寫得相當清新脫俗，給我的印象很深。記得她這樣寫著：

> 你舞著彩蝶般的衣裳
> 無聲無息的消逝於秋野
> 我抹著你留給我的淚痕
> 託白雲去尋覓你的芳踪

　　其餘的詩句我看不太懂，甚至不知所云，當然就淡忘了。

　　不久，學校舉辦第一屆文藝作品比賽。公佈成績的那天，新詩獎乙組的第一名竟然是唐琦。許多人為她感到驚訝萬分，因此使她的聲名大噪，全校的人沒有不知唐琦是個小詩人。

　　聽說只要有唐琦在的場合，男孩會不自禁的多瞧她幾眼，女孩也會為她竊竊私語。我經常看到她出現在藝文教室和活動中心，或者圖書館。但她好像很忙碌，無暇跟旁人多談幾句。偶爾不經意遇到我，也只是點個頭而已。

　　到了三年級，功課比較緊湊。一有空閒，我總是關在房內看書，或跑到圖書館坐在角落的一張桌前寫作業，幾乎跟外界隔絕了，也很少再去注意唐琦的行踪。

　　好事的男孩，總會在課後飯餘談一些有關唐琦

的事，我也靜靜的帶點好奇的聽他們談著。

　　「聽說她當上新潮詩社的副社長了呢！」

　　「難怪她走到那兒，總有許多男孩跟在她後面。」

　　「我還聽說總教官很看不慣她那種交遊的方式。」

　　「對啦，前天我經過教官室，還聽他們在談論呢！」

　　對於那些不確切的流言，我都半信半疑，不刻意去探究它。但過了不久，學校發布了一則公告，是校長的親筆。大意是說，新潮詩刊裏有對學校不當的批評言詞，因此勒令停刊。這一則公告吸引好多人圍觀，全校傳言四起；有的說新潮詩刊好，有的說新潮詩刊不好。說好的人，都認為裏頭的文章對學校某些不當的措施批評得痛快淋漓，大快人心。說不好的人，則認為寫文章的人太武斷，有如在雞蛋裏挑骨頭。

　　不論別人怎麼說，我仍不為所動。當我將新潮詩刊從頭到尾仔細的覽讀一遍後，並未察覺有何激烈的文字。如果要挑剔的話，裏頭有一篇〈新潮詩社的成長〉，隱約的談到學校掌行政的人缺乏魄力來推展社團活動。難道那就是大家爭論的重點？還

是另有原因？我不清楚。有一天，我又在圖書館碰到唐琦。她仍抱著一疊書籍，但表情顯得很頹唐。

「唐琦，到底是怎麼一回事？」我先開口說。

她將手上的書籍放下來，身體頹坐在椅上，毫無精神的說：

「詩刊被禁，我心也被掏空了。」

「你們沒有去爭議？」我說。

「社長跟我跑遍了各處，也當面請求校長開釋，都沒有用，今後不准再續刊。」

「同學的反應如何？」

「不知道，這幾天我都關在房間痛哭。」

望著她那楚楚可憐的模樣，一向硬心腸的我頃刻也變軟了。我學著溫柔的口吻，勸她說：

「詩刊辦不成，有什麼關係，再另開新路嘛！」

「謝謝你的關心。」她傷心的說。

爾後有很長一段時間，我沒再看到唐琦的人。升上四年級，又忙著選組，更無暇去探聽她的消息。不知什麼時候，在校內流傳著一個消息說唐琦往校外去發展了。每逢假日，總有一些校外的男士約她接洽什麼事，看來比以前更神氣。

一天傍晚，我在校門口等候朋友，意外地發現

唐琦從公車下來，臂彎裏夾著幾本雜誌。當她經過
我面前時，我跟她打著招呼：

「嘿，唐琦，近來好嗎？」

「哦，」唐琦露出笑容，愉快的說：「很好，你
？」

「我還是老樣子。」我說。

唐琦掏出一本雜誌，指著封面說：

「不久前，我認識了這家雜誌社的主持人，就
將我的詩作拿去給他看。他很欣賞，說歡迎我經常
投稿。」

「很好啊，」我帶點恭維的口氣說，「你的大作
就有地方發表了。」

從那次見面後，唐琦又恢復到原來開朗的面目
，在學校又變成一個活躍的人物，還連續獲得第二
屆、第三屆新詩獎甲組的第一名，她的名氣轟動了
校內外。

畢業前夕，新潮詩社的社員幫她舉辦一個別開
生面的詩展。展覽的地點在活動中心，裏面佈置得
煥然一新。即使不懂詩的人，只要走進裏面也會被
那些光彩奪目的裝飾震懾得神志不清。

我選一個空堂去看她的詩展。那時唐琦正在簽
名處跟人聊天，我悶聲不響的從門邊跨進去，沒被

她發現。我找到一個空隙停下來，正好看到一首題
為〈白楊的自述〉的詩。它開頭寫道：

> 我有著青色的年齡別人笑我老態龍鍾
> 我也有恬靜的心境
> 卻無故惹來清風的撫弄
> 誰知我已深受了世間的冷暖

當我讀到「誰知我已深受了世間的冷暖」這一
句時，整個人恍惚跌進莫名的憂傷裏。莫非那就是
唐琦自己的寫照？一個女孩在追尋理想的過程中，
曾遭遇過什麼不可告人的酸楚？也許我不該這樣
臆測唐琦的心思，畢竟五年來我們並沒有深一層的
交往，只能隨便猜想而已。

這時唐琦走過來了，堆著滿臉的笑容。一開口
就問我說：

「看你那麼聚精會神，覺得如何？」

「這首詩我還沒看完。」我說。

她抬頭望了一眼，然後徐徐的說：

「你看我像不像一棵白楊？」

我驀地想起我們第一次見面的談話，就以調侃
的語氣對她說：

「你應該回去多植幾棵白楊。」

剛說出話，她還莫名我話裏的意思，繼而想通了，便自得的笑起來，惹得兩旁的人都偏過頭來看我們。

唐琦的詩展，辦得非常成功，也獲得很好的評價。在她預置的「即興」的空欄裏，及一些年輕詩人的來信中，都寫盡了對她的讚揚和仰慕。

當時快要屆臨畢業考，我又將自己關在房裏看書，逐漸地忘記唐琦詩展的盛況。直到畢業典禮那天，都沒有唐琦的消息。

期待的日子，終會來臨。每個畢業生胸前配掛一朵鮮紅的紙花，而後井然有序的進入大禮堂，參加莊嚴肅穆的典禮。我忽然想起唐琦，便在眾多的女孩子中間蒐尋，許久仍未發現她的影子。

「欸，怎沒看到唐琦？」我疑惑的問鄰座的老呂。

「這你還不知道啊，」老呂驚詫的說，「她畢不了業啦！」

「為什麼？」我急得差點從椅上跳起來。

「她有三科沒通過，必須重修一年。」

「真有這回事？」

「不信的話，你自己去教務處查看就明白了。

」聽到這消息，我兩眼發昏，全身僵直的坐在那裏，幾乎不敢相信這是事實。一個那麼風靡的人物，竟會在此刻銷聲匿跡，是否命運在捉弄人？當畢業生代表在致謝詞的時候，坐在前排的女孩都哭了，坐在後排的男孩興奮的笑著。我彷彿也聽到唐琦的笑聲從四面八方傳來，但我完全失去了知覺和意識，只依稀聽到有人說：

「唐琦應該是代表致謝詞的人。」

「誰知她給自己洩盡了氣。」

畢業典禮於何時結束我不清楚。等會餐完畢後，我就急著離開校門，趕回鄉下老家。

八月下旬，分發結果，我被派到一所鄉間的小學任教。緊接著入伍服兵役，一去就是兩年。

服兵役期間，很少有機會再回母校看看，也不知道唐琦的情況。偶然間遇到一位學弟，他告訴我唐琦又返回學校唸書，在外面租賃，自己獨來獨往，不跟任何人發生過從，彷彿換了一個人。

那時我很想寫封信去安慰她，但又駭怕會勾起她的舊創傷或打擾她平靜的生活，於是又打消寫信的念頭。一直過了一年多，快屆退伍的日期，突然收到老林寄給我的一封信，信中附帶提到唐琦的事。他說：

「唐琦畢業後，回到家鄉一所小學教書，生活過得蠻好的，只是缺少以前那種風采……」

老林跟唐琦是同鄉，他說的話，不會虛假，我也信以為真。不過，因太久沒見過唐琦，對她的印象愈來愈模糊。她那嬌美的面貌，也快從我腦海中消逝。

退伍後，我又回到小學任教。約有半年的光景，都窩在鄉間，沒有離開過。第二年暑假，奉命回母校參加新課程研習會。非常意外地，又遇到了唐琦。從她像婦人的裝束看來，顯然比過去成熟多了，但卻有點蒼老，臉孔不如女少那樣的清麗，幾乎讓我認不出來。她帶著沈濁的音調說：

「吳維，還記得我嗎？」

「記得，」我欣喜的回答，「我永遠記得你。」

她垂下頭來，顯得興致索然的樣子。

「什麼時候請我喝喜酒？」我打趣的說。

「我已嫁人了。」她忽地綻開臉上的笑容，「忘記請你喝喜酒，很抱歉！」

「哦，沒關係。」我立刻改換話題說：「那對方是誰？」

「一個莊稼漢。」她淡然的說。

唐琦嫁人的消息，我從未聽說過，也許別人也

不知內情。突然我想起一件事，便順口問道：

「妳還寫詩嗎？」

「不再寫了。」她搖著頭說。

「為什麼？」

「尋尋覓覓那麼多年，總該有個終結。」

「那不是很可惜？」

「不會，我發現了有比寫詩更快樂的事。」

那是我們最後一次的見面，到現在我仍不明白她所謂「比寫詩更快樂的事」是什麼，我也無心去窮究。也許屬於唐琦的輝煌的歷史已經過去了，在年輕時候認為很體面的事，稍隔幾年事過境遷可能就變得不值一顧。但在我的記憶裏某些特殊的事是不會抹滅的，甚至愈久記得愈深牢。

（刊於 1980.1.17《青年戰士報》副刊／收入《追夜》）

卷八　同學會

打狗第二響──驚帆 2013

仲夏夜有夢無夢
都已經過三十幾度春秋的定格
它想逸出來透光私了
後面還有無數痴迷的眼
正在追隨一段記憶

那時自我虛擔的硝煙剛散去
行伍生涯原是兩節兜不攏的音符
一節守著蒼白一節無端地的飄零
你我聚合在故事末尾的醺醉裏
愛河初到黃昏燈影把閒愁唧著忘了釋放
餘心想高歌歲月卻不許只能給沉重
徬徨無人的步道兩腳早已自行走在回歸的路
　　上

杏壇又是一座蕪亂的山丘
闢了眼前的榛莽還有巨石阻絕
果樹渥著不曾熟透就急忙的被迫轉讓
日子記得的盡是模糊的臉孔
當年紅樓純潔的盛傳裏有隱匿跌宕的餘緒

披覆一身後終於知道搓揉世道的艱難

給我們駿馬圖騰的先生獨自駕鶴西歸了
他來不及看見孫權的坐騎還來現世分身奔躍
卯足勁馳騁是命毀譽讓蒼天最後把關
延續大道賽旗的榮耀先到終點的人沒有昂首
　　呼喊
回頭望去還有斑駁的腳印在簽結未完的情節

我漂泊的國度靈魂不准提早打烊
始終還想維繫一個唯恐失重的夢魘
它穿過了無數的時空停在當今黑天使駕馭的
　　地球
日夜糾纏著紙筆寫滿對自己隱隱的控訴
人心部署的蒺藜已經透過全球化遍地繁殖
沒有傷痛經驗的生命都要被割破醒來
歸還給我的裏面有全然消蝕容顏的代價

不願虛度的執著記在個人彩染的扉頁裏
名駒一躍可以驚奇正如風馳電掣在無垠的波
　　濤上
前去還有來來世回首是為了熟悉那個曾經烙

　　紅的信心
如今踏入驛站先歇息的人得到一聲嘶鳴的獎
　　賞
原來過眼雲煙的往事都不再是雲煙過眼
一旦站上高崗俯瞰訝然身後仍有萬紫千紅的
　　景象

東道主把約好的相聚從愛河移到左營
蓮池潭也能夠勾起我們想念遠年幾許青衫聯
　　袂快遊的雅興
攏總來為這進出打狗吹起的第二響溫習曲調
會早了見證友誼遲歸的包辦相思
　　（張簡茂森主辦／收入《流動偵測站──列
　　車上的吟詩旅人》／本卷所錄詩來由已略述
　　於序文）

在臺中媽祖守護地──驚帆 2014

延長鬢舍五年的歡聚
約好大家輪流做東
避熱去冷揀個戒酒的日子單挑美食

今春續攤在一黃二陳的家鄉
火車沒有負重愁緒直接開到大甲轉乘大安
再度相見一晃將近四十個寒暑
說不出的愛戀都給眼前陌生的風劫去
走出車站後詩才想起昨天就抵達了

主人殷勤放出的魚雁連綿註記
有海邊觀潮鐵砧山攬勝鎮瀾宮隨機參拜
你要去的景點都想從地圖跳出來
熱情到了這時節紛紛加碼投入旅程

別後無恙通好懷念可以增衍
走出職場的要給祝福裏面有自己的未來
還在崗位的請便年限會幫你保值榮耀

記得當初生澀來到此地

媽祖繞境的新潮醞釀遲了十幾年
獨有國姓爺的劍井故事點滴在日記裏
躑躅兩天後雙腳離去心留著
現在重逢輪廓還有幾分纖小的容顏
只是高漲的建設已經超長輕漫我的胸口了

一次餐敘兌換一本年曆的相思
往後我們仍得用信念證明驚帆的耐力
那是不停的船也是無所繫縛的馬
標的會在天上聖母許過光照的地方
　　（黃見昌、陳金得、陳聰明主辦／收入《流
　　動偵測站——列車上的吟詩旅人》）

成功聽海──驚帆 2015

粗夯的一句邀請
來去臺東給你成串跳蕩的音符
俗擱大碗驚喜寫在包著果香的路上
儘有生鮮的眼看也會飽飫

縱谷遙望海岸
吸過山嵐就翻身去穿透滄浪
兩條平行線讓你結出系絡
交集後裝一袋蔚藍回家
那裏面有甜甜的記憶

驚帆又輕揚了
這次要小駐新點的成功
主人孵了一棟農舍
召海來守候寂靜的日夜慢飛
你的耳渦又多了兩層浮漚

優麗閣是歡聚地
微醺在新澎湖海鮮餐廳
晚會要數數一年零存整付的情誼

續攤的腳本歡迎自己編撰
大家隨意不計時

表列的遊覽參訪
隔天請早看日出閒步
你會重溫到沈文程的行踪
自加的旅程是兩座島嶼
它們等著分享溫泉和早到的飛魚

聽夠了此地的波濤
東海岸許諾的一頁傳奇
已經填滿你盛意灌溉的字跡
來年移去他處一起咀嚼
　　（張炳杉、周慶華主辦／收入《流動偵測站
　　──列車上的吟詩旅人》）

諸羅舊地新遊───驚帆 2016

飛鴻轉彎散開滿樹的枝葉
一聲感恩月份的邀請
盛意站在松田崗休閒農莊逍遙呼喚

主人腰挾一把琴
演完街頭藝人趕去當志工
他說幸運的人生不能尾端留白
兒孫會想念享受這個片段
今天就給你看餘心卯到的事業第二春

驚帆又齊聚諸羅舊地
敢情是要償還四十年前未盡的遊興
那時大夥都奔上阿里山去緣慳一場日出
遺憾留給了鐵道轟隆的車聲

來不及告別一首高山青
裏面還有隱式纏綿的憶念
如今就在山腳下喁喁的眺望
新遊一座臺灣仿製添味的峇里島
讓南洋風溫慰曲抑久違的渴欲

夢幻雨林南十字星香草工坊
進園後眼到情就發
兩腳還可以唧幾撮棕櫚身影回家
記得這是一次奢華爛漫的集會
　（曾志忠主辦／收入《湖它一把：東海岸最
　　詩的傳奇》）

貓空攬勝──驚帆 2017

臺北老盆地
文山非包種的家鄉
木柵圈養了許多動物
貓空在俯瞰
驚帆駕到

年度盛會登高
鍾情選定四哥的店
馬蹄再奔逸
帆影齊聚
紛紜要找馳道港泊
喜獲一條纜線

主人出讓他的私房景點
誠意穿梭在信件 LINE 和 FB 中
邀大家尋壺穴賞魯冰花喝閒咖啡
跟地圖相遇於循山步道
帶走一座歡樂農園
還有風味午餐

踩山踏青
重回一段年少的心
那時有不能止遏的躍動
如今遊興已逐漸老邁
只剩腳力尚在
（林煌主辦／收入《湖它一把：東海岸最詩
的傳奇》）

家鄉味吃它一年重量──驚帆 2018

在月臺鵠候一列火車
探照燈穿透擁擠的人羣
融化廣播的尾音
臺北起站有暖暖鼓鼓的等待

還沒走出地底透氣
板橋到了耳朵送還它滿檔的響聲
想下車的旅客不必上車

重見光明後迎接鶯歌
不想上車的旅客趕快下車
時間要為眼睛加速除霧

猶豫上下車的旅客去夢裏消費
離開後最好攜帶閒情歸來
特大號的桃園也到了前面有一縷餘香飄春

終點中壢是驚帆移動的約定地
腳下車心更無意留著
猛抬頭發現四個季節已經悠然遠杳

東道主獨鍾一家新陶芳會館
山野健行留給大家明朝分段想像
今天是臺菜配輕鬆
飽餒了記得撐著足夠懷念一年的重量回家
　（陳永昌主辦／收入《湖它一把：東海岸最
　詩的傳奇》）

大溪地尋芳──驚帆 2019

春雷渥著乍響
蟄伏一年的殘夢飛快甦醒

話筒那頭傳來振奮的邀約
東道主早已備料中有整全的盛意
給大夥描繪的地圖藏著一條蜿蜒的路線
通向 C House 溪房子手作坊無嘩的店

美食配對公園的景色
山巒橫出環抱眼前的世界
底下一道溪流淌出了吃名的豆干
陪榜就看那玩不膩大小顆陀螺的娛情

鄰近還有兩處重地嵌著歷史的債務
讓它任由起自四面八方的怨嗟去看守
我們只圖這一晌貪歡

酒興話語無盡
芳華也無盡

　　（丁振豐主辦／收入《湖它一把：東海岸最

詩的傳奇》）

年禧春開──驚帆 2023

天黏天
委屈小蒙面
驚帆報到晚了三載

今春開新
年來禧消息
一紙佳音專候
聽聚首

不計路途多阻
鳳凰高翥片刻便可抵達
東道主早繪好了藍圖
機場諾富特飯店有迎賓曲

時光逃離了職場
歲杪歲初已經含糊
憶念只等看奇蹟出現

別問還闕什麼
大夥卯正了

答案就會揭曉
（簡豐年主辦）

附錄一：續情

漁光去來

在繁華的都市住久了，常會覺得自己的靈性逐漸地消逝在五丈紅塵裏。有時想想，真有幾分的惶惑，人生怎會這麼忙碌，沒有一點餘暇來審視自己，更沒有工夫去理會心靈的渴欲。偶爾回想小時候鄉居的生活是那麼的恬淡和愜意，就禁不住要怨怪歲月不居，不讓我在鄉下多滯留些日子。但那已是遙遠的往事了，無論如何再也不可能重過那種不食人間煙火的生活。

不久前，我去了一趟坪林，到老友服務的漁光國小。眼看幽靜的千山萬壑，浮湧出一片迷人的蒼綠，細聽潺潺溪流聲，悠悠的在山谷中迴盪。諸般的景象，又喚起我內心的那層欲念。我遲遲的不敢相信，竟會來到這個似曾相識的地方。我對它傾抒了我的愛戀，也使我的性靈再度的甦活過來。

漁光，位於坪林大舌湖，地勢偏高，只有一條崎嶇的石子路跟平地相通。居民長年的囿處在深山中，以種茶為業，遠離喧囂的世界。也許他們真正是一羣自甘淡泊的人，天賦就有一種樂天知命的人生觀；如果不是那樣，他們又怎能度過漫長而寂寥

的歲月？

　　老友曾幾次來信相邀，希望我到山上小住幾天，嚐受山中的生活，並替他捕捉青山綠水的踪影。我不但羈延未去，連一枝筆也越擱越鈍了，實在很對不住他。他也是來自紅塵的人，但他很快的就愛上這個地方。當寒暑更替，歲末凍冷時，他慨然的說：「**山中無曆日，寒盡不知年。**」在這個與世幾近隔絕的村落裏，誰會去為毫無意義的歲序而掛懷？當我到了山上，才體會人間的愁煩，都是為了一個「爭」字。

　　沒有來漁光前，我常遙想著這裏的風光，有時還會兀自神遊一番。去年冬天，老友來信說：「**前些日子天寒地凍。早上起來，屋外一片雪白，原來下了一層霜。太陽一照，再化為水氣。水氣緩緩而升，甚為壯觀。**」我一時衝動，幾乎要動身前往；可是被俗務纏住，無法分身去觀賞盛景，感到很遺憾！老友又說：「**近幾天，難得放晴，與同事共同尋幽訪勝盡挑人煙稀少的小道行走，結果發現了不少令人舒暢的好地方。**」平生未見白霜，但聽老友這樣描繪，彷如已看到那一片清麗純白的霜顏，且深映入腦海，不易拭去。更使我歆羨的是他們隨時可結伴而遊；不論羊腸小徑，或山巔溪畔，任其徜

徉放歌，任其笑語洋溢。老友愈是説得殷勤，就愈增加我的遐思。最後，我發了誓言般的對他說：「**我一定會去一趟。**」

過了一個櫻花盛開的春季，也過了一個炎熱的長夏，我依然沒有成行。這時，老友下山了。他像許多人一樣，想到凡塵中來一展抱負。固然那裏的孩子們需要他，他也深愛著他們；但他知道遲早要離開那裏，還有很多事情等待他去做。於是他黯然的踏上了歸途。

秋天來了，嘶嘶的蟬鳴帶來凄清的氣氛，我仍沒有忘記許願要去的地方。這時節正是野遊的好時候，錯過了時令，不知道是否還有餘興前往山上，倒不如趁現在就去吧！

臨時擇了一個假日，邀了幾名友伴，就上山來了。那天不是晴朗的天氣，天空還飄著細細的雨絲，灰灰的雲霧遮住亮麗的陽光，使得羣山更加的沉靜。我們騎車循山路而上，時而眼見凸丘擋途，時而豁然開朗，時而隱身於蜿蜒斜陡的山谷裏。直到漁光在望了，大家才鬆口氣，驚險的路程已經過去了。

這回上山，大家只是乘興而來，並未通知任何人，可是竟意外的跟老友相逢了。老友戴副眼鏡，

端著報紙，站在教室門口。我老遠的喊著他：

「老楊！」

「啊！怎麼是你們？」

老友堆著笑容，直趨過來。一時驚喜，眉飛色舞的大嚷：

「今天出門前，我就有預感，好像將要發生什麼事似的，沒想到竟是你們來了。」

他也是剛上山，來代人值日。我們能在此地相逢，的確是一種冥冥中的巧合，大家顯得特別高興。

校舍裏沒有其他人。老友帶領我們參觀他們的校園。這是一座「迷你」的學校，全校只有六班，八十餘名學生。校舍依山而築，空地極少，設備頗為簡單。然而，校園內花木扶疏，綠意盎然，許多花也都開了；彷彿在默然的羣山中掀起一場熱鬧的花會，讓天風雨露來為它們喝采！

老友一一的告訴我們這裏的一草一木，大多是他們親自栽植的。從他昂奮的神采中，我看出了那宛如是一個母親的驕傲；她對於自己孩子的鍾愛，是從來不會矯飾的。老友照護這些花木，也像他看顧那羣孩子一樣，只有注入無私的愛心，而不奢望它們能帶來滿園的芬芳。事實上，他的愛心已滋養

了花卉的生命，終有一天會出現燦爛的景象。

記得去年仲秋，蔣總統蒞臨漁光視察，對於這些在深山中作育英才的教師們稱讚不已。他們不只默默的耕耘，奉獻他們的心力才學，還有一種怡然恢闊的襟懷，使他們在遠離塵寰而不覺得孤寂。好友得意的說：「這裏除去物質條件不說，同事間的和諧，師生間的濃厚感情，當地居民的親睦以及優美的環境，我覺得就像天堂一樣。」我深信他們已獲得人間的至樂；而這種快樂完全是緣自他們對於教育的熱忱和抱負。我不由得遐想著在這一方小天地中，他們和孩子們一起讀書、唱歌、遊戲……那是怎樣的一幅圖畫？莫非就是天堂的情景？

老友在這裏服務一年，他為孩子買書訂報，建立一個小圖書室。課餘教他們彈吉他唱歌，或到野地教他們求生的技能。現在教室雖是空著，但我隱約的聽到他們琅琅的讀書聲和宛轉流漓的歌唱聲，還有諄諄的囑咐及噓寒問暖的聲音。

「這裏的孩子憨純得可愛，」老友意味深長的說，「有一次在上社會課，談到有關我們少棒揚威世界的事情，沒有一個小孩看過棒球，我們在講臺上比手劃腳，他們仍是感到滿頭霧水，恰好那時電視上正在轉播遠東區青少棒賽，老趙（也是我同窗

）就集合全校學生，在電視機前講解棒球賽。最後，他問孩子：『投球的人，叫投手；那接球的人，叫什麼？』孩子興奮的回答說：『叫接手。』老趙有點洩氣的告訴他們：『那叫捕手！』」

有人忍不住笑了出來。我忽然聯想到孔夫子說過的話：「不憤不啟，不悱不發，舉一隅不以三隅反，則不復也。」我們所接觸的孩子，十之八九都沈迷於玩樂，鮮能自動向學的。倘若稍有疏忽，或不隨時鞭策他們上進，他們就沈淪得更快。於是對那些不憤不悱的孩子更得苦口婆心的教導他們；對於舉一隅不以三隅反的孩子也要循循善誘的啟發他們。我深深的佩服這些在深山中栽培幼苗的園丁們，因為環境的僻陋，更使他們體會到把一個無知的孩子帶領到有知的世界是多麼的艱難，只有靠著無倦無怠的精神誘導他們走向正確的人生大道。

靜靜的校園裏沒有一點聲息，連山風也停在樹梢了似的。我走過每一處種著花木的地方，俯首端視那些綻放的花容，細細咀嚼老友的話，竟不自覺的發出由衷的讚嘆：啊！這些開放在深山的花，不正像一個個強韌的生命嗎？它們那軒昂的姿態，不正是在這裏的人不向命運低頭的寫照嗎？

在霏雨還未再落下前，老友領著我們到虎寮溪

遊玩。山上雨量多，一年中下雨的日子遠比晴朗的日子多。老友說在這裏很難得看到陽光，只要太陽一出現大家都欣喜若狂，紛紛的跑出室外；一會兒洗被套，一會兒晾衣服，一會兒跑到高處曬太陽。他們說這是上天賜給他們最快樂的日子。聽完這席話，我仰首看看天空，濛濛的雲霧還徘徊不去，有時從這山頭瀰漫過那山頭，每一座山都像披上一層夢樣的薄紗。我們雙腳踩著泥濕的小徑，兩眼不住瀏覽四周的景物，感到無比的暢懷。看那蒼翠的樹林，爬過山谷，又爬上高聳的峭壁，終於在山頂排列成一堵堵綠色的屏風。如果這裏的雨有知，那麼它一定會眷戀這裏的綠樹，眷戀這裏幽靜的土地和悠閒的人們。

我們如雀躍般的踏過生長著青草的小路。小路旁是一條響著淙淙水聲的小溪，還有沿路綻開的野薑花，恣肆的放出濃郁的芳香。我們一邊如癡如醉，一邊囈語般的發出讚美的聲音。有人一路唱著山歌，配著輕盈的步伐，宛如一串跳躍的音符，為這山谷帶來比綠更青春的氣息。當大家引吭高歌時，原在叢林中孤絕的響著的蟬鳴似乎在迎迓我們，也唱出更嘹亮的歌聲。連一些村老孩童都遠遠的佇視愕然。我們是一羣不速之客，騷擾了山上的寧靜。

　　抵達虎寮溪畔時，老友指著一彎如潭的溪水對我們說：「哪！那就是我們的天然游泳池。」

　　老友屢次提到這裏的景色，我早已嚮往不已，今天能一睹真面目，果然美得有如仙境。虎寮溪流經這裏，形成一個大迴旋，緩流處蓄水頗深，便於垂釣，也便於泅水。且水清澈見底，經常有成羣的白鷺駐足溪側，更宜於觀賞。適時有一羣小鴨結隊滑遊而過，泛起的波紋像漂亮的錦綢向兩邊擴散。隨著鴨羣揚長而去，水面又恢復了平靜。這一幕情景，太使人沈醉了。真希望自己是一隻鴨子，永遠住在這清靜無嘩的水鄉，把凡世的苦惱留給流雲和清風。

　　大家猶沈湎在夢境中，細雨又漫天的灑下來，黃昏緊接著也來了。為了趕在天暗前下山，我們不得不告別，獨留老友在山上。

　　離開漁光後，我又日日思念著它，像思念我的家鄉。我想只有在這個沒有塵煙的地方，生活才是一種享受。不知道青山能留住多少旅人的足痕，在我心中卻留住了青山的聲音。有一天，我還會循著這個聲音來尋找它。

　　（刊於 1981.11.22《青年戰士報》副刊／收入《追夜》）

處處聞書香

從那時候開始喜歡文學，我無法確切的弄清楚，因為事隔多年，即使最牢記的事情，也會變得模糊起來。只記得當初剛離開家鄉，在新環境裏唸書，接觸許多來自各地的新朋友，他們都非常好學，無形中受了他們的影響，因而不斷地鞭策自己不能落後，甚至想在某方面超過他們。

當時有位朋友特別勤於買書，他所買的書大都是散文。我覺得好奇，便向他借來翻閱，一時也說不出是什麼感覺，只是愈看愈喜歡，終於自己也破囊買了幾本。在那以前，我從未看過一本文學書籍，根本不知道有那些讀了能感動人的書。爾後我經常買書來看，才發現自己像一隻井底蛙，始終沒見識世上許多新奇的事物。我懷著從象牙塔掙脫出來的心情，開始漫長的摸索。一方面感嘆過去的無知，一方面又為茫茫的前途徬徨，於是心理上發生巨大的轉變，認為只有不停地追求知識，才能肯定自我的存在。過去的自己，已令我深深的憎厭，現在我要彌補過去的缺憾，需要一種力量給我勇氣忘掉那個貧乏的軀殼。所以我走進了文學的領域，也在文學的領域中迷失。

　　許多年來，我心裏一直埋藏著文學的影子，但還不能找出一條路來。由於我發覺文學只是一個象徵，只能從它那裏學到什麼，不能盼望它給我什麼。當有人羨慕我擁有許多書時，我總是靦腆的回答說：「**它們還不夠我活用到老呵！**」事實上，我所讀的書太少了，只對書有一份無法形容的執著罷了。有時站在滿櫥的書籍面前發愣，彷彿有陣陣的書香飄拂過來，讓我迷戀，而不忍離開。又有時迫不及待地從中抽出一本，尋覓作者的聲音，聆聽作者的低吟；而跟窗外的和風一起陶醉，跟天邊的浮雲一起遨遊。心思像幻化的彩雲，從絢爛歸於平淡，終於清醒過來，自己並沒有變，變的只是沈迷於書中的我。

　　假使我能替自己找出一點長處的話，只有愛讀書而已。直到今天這份讀書的興致依然不減，甚至比過去更為癡狂。無論在那裏，只要看到書，聞到從書中散發出來若有若無的香味，我就會顫然心動，希望能夠擁有它。平時我的情緒不會變化很大，但當讀到一本情感真摯且扣人心絃的書時，心湖裏波濤翻滾，甚至淚水滿眶，幾乎不能自抑！有時為這種癡狂，不知被書的作者賺走了多少眼淚！

　　我只喜歡看書，不喜歡跟人談論書中的一切。

我覺得各人的體會不同，縱能溝通意見，也無多大
益處。如果有人要我介紹書給他看，先則一陣惶恐
，繼則坦白的告訴他，最好自己去找書，別人介紹
給你，不一定你會喜歡。他又說：「**你告訴我什麼
書，我就看什麼書。**」這時我只有對他搖頭了。因
為這樣，我更不能貿然的答應他，也不是我吝嗇那
樣做。倘若他的確需要看書，有很多機會他可以直
接去選購他所喜歡看的書；假使他只抱著無所謂的
心理來看書，我介紹他看又有什麼意義。

因為這件事，使我想起一個故事：有一對夫婦
新婚不久，男的吃不習慣太太做的菜，但有口難言
，不敢有所嫌棄。後來男的跟一位朋友吐露苦衷，
那位朋友直截了當的告訴他說：「**你何不親自到市
場走一趟？**」他才恍然大悟，非常感謝朋友的提醒
。想要我介紹書的人，我也會以那種口吻對他說：
「**到處都有書店，你何不親自去走一趟？**」當然，
那是帶有幾分刻薄的話，我很駭怕說出口。可是我
喜歡文學，別人不一定也喜歡，介紹給他豈不像商
場的推銷？

讀書雖是一件孤苦的事，得忍受買不起書讀的
痛苦，但永遠不會寂寞，書是一個很好的伴侶。現
今社會昌明，出版業相當發達，不論走到那裏，都

能聞到濃鬱的書香。它像春花一樣的芬芳，使人癡醉，令人興奮。文學方面的書籍，尤為典雅芳潔，我已深深的喜愛上它。在文學這條路上，我不是得天獨厚的人，更沒有任何天賦，我只是像尋獲源泉般的快活，終身樂於去追求一個有意義的人生而已。

（刊於 1980.7.12《青年戰士報》「青年園地」／收入《追夜》）

筆耕散曲

爬格子過了多年，對於自己那寥寥幾篇的作品，仍像春婦閨怨般的又悽又憐，捨不得丟棄，也不忍多看一眼，就那樣無聲無息的被我冷落在書櫃裏。我不知道若干年後，這些作品是不是會在一根柴火下化為灰燼。

向來喜歡爬格子的人，多少要靠點傻勁，因為常要忍受身心的疲憊，還得擔憂寫出的拙作不能登大雅之堂，恐怕還會首遭時代的湮沒。然而，有一筆在手，似乎沒有力量能阻止他繼續寫下去。好像得了菸癮的人，顧不得身後的利害，反把菸當作命根看待。如果沒有那一點傻勁，寒來暑往，熬夜苦寫，怎不使他卻步退縮？一行行的方格子，有如阡陌間荒蕪的田畝，沒有勤墾勞耕，就沒有收穫。這也註定持筆桿的人，終身要像一名老農，把他的心血灌注在田畝上，而期待收穫的喜悅。

名人梁實秋談寫作的訣竅，他說只有兩個字：割愛。過去我沒有體會它的涵意，總認為自己辛勤寫出來的作品，一定會得到共鳴，受別人的欣賞。但在頭一關就遭到編者嚴厲的批判，有的石沈大海，有的原稿寄還，連一點信心都要失落了，幾度想

封筆不寫。近來我霍然參悟般的想通了，以往因為不懂得割愛，才使一篇篇作品急遽的離開我手邊，不肯將當中的糟粕割捨，致使退稿愈積愈多，悔意也愈積愈深。當我忍心將幾篇不滿意的作品付之一炬後，才明白有太多的作品該燒而沒有燒，也在懊悔不該輕率的寫出那些不成熟的東西。

當拙作僥倖上報後，熟與不熟的朋友見了面不免會恭維我幾句，或者詢問稿酬的狀況。前者對我是一種鼓勵，後者卻讓我感到相當為難。我知道那一篇作品的稿酬很微薄，說出來請不起客，顯得太寒酸，不說又有失禮的地方。總無法使自己泰然，也無法讓對方滿意。其實，我很少親自去領稿費，也不在意它的多寡。偶爾回家，聽到母親欣喜的說「又來一張稿費單了」，我也莫名的跟著興奮一陣。母親並不清楚那是寫文章換來的，也從不探究我寫了什麼文章，但那一聲溫柔的報訊，卻給我很大的安慰。彷彿平日伏案咬文嚼字的酸楚，霎時都消逝了。這種默默的撫慰和激勵，令我一直不能忘懷。

我不曾夢想要靠賣文來過活，只是興之所至，自願嚐受那種甘苦，藉一枝禿筆為自己的生命添點姿采，或為別人灑些甘霖罷了。除此不容我有其他的奢望，也不敢妄圖什麼名利。將來我有一份安定

的職業，那已足夠我過一個清淡的生活，唯一的期望就是想使這枝筆成為充實生活、美化人生的源泉。我想今生今世也沒有什麼好遺憾了。

許多朋友常鼓勵我多寫，只要隔一段時間不見我的作品上報，他們就很關心的追詢是什麼緣故。我往往赧然得不知如何應對。在寫作的路途上，我一直很寂寞，有這些親近的讀者不斷地支持我，理應感到莫大的欣慰。可是我反而很惶恐，一來不夠勤奮，寫不出滿意的作品，使他們失望；二來沒有人肯指正它的瑕疵，讓我自己擔心不能精進。這點惶恐，存在我心中已好多年了，我不知怎樣祛除它，似乎永遠要在我心裏造成一塊拭不去的疙瘩。

現在的環境，不容許我靜下來專心的寫些文章。喧鬧的車聲，不斷地衝垮我的思維，還有許多瑣碎的事情在我腦海縈迴，實在難以稱心如意。只能偶爾提起筆吃力地捕捉片段的靈感，零碎地寫出來而後拼湊成一篇。這使我沒有把握想到更好的題材，或者寫出像樣一點的作品。唯一不會使我懈怠的，恐怕只有這份爬格子的興致，在自我鞭策去實現心中那個小願望。也許將來吧！筆耕的成果，會給我的生活帶來一點光彩，又何必現在就栖惶不安？在人生旅程上留下的足跡，不會永遠保持完好，遲

早會被風雨吞噬，只要認真的繼續往前走，就不會
為那即將消逝的足跡傷惑了。

（刊於 1980.4.23《青年戰士報》「青年園地」／收
入《追夜》）

也是巴山夜雨

不期然地，我們相遇在路途上。你好像從我夢裏的巴山走來，帶著微醺。那是許久以前，我們互相餞別時的醉態，不意依然留在你的身上。我不知是驚喜，還是遲疑，久久才問你：

「別來好嗎？」

你濃眉間隱約的神情倏地綻開，澀然地回答：

「還好。」

「會不會厭倦山中的生活？」

「不會，我很滿意。」

「孩子好教吧？」

「嗯，他們都很好學。」

想到孩子，我立刻很敏感的想起我們曾激辯過的問題。也許你的抉擇是對的，山中的孩子淳樸、憨直、純潔、善良，教育他們，容易收到宏效。以你那酷似菩薩的心腸，正是孩子傾慕的對象，他們會衷誠的歡迎你。

「那你？」你反問我，「還在城裏教書吧？」

「不，我已經在服役。」

我想跟你暢談一些別後的經歷。然而，你卻低頭沉思，彷彿不在乎身旁的我。驀然我發現你添了

好多白髮，額面也有微微凸凹的皺紋。我已有幾分明瞭那是代表什麼。

「快兩年了，不感到疲憊？」我又問你。

「我忘掉了疲憊。」你淡然的說。

「山中孤寂的生活，你不覺得寂寞？」

「孩子就是我的夥伴，他們帶給我不少歡樂。」

「你依然不改變你的抱負。」

「……」

現在我們談話，宛如演戲人冷漠的對白，不像過去間伴著抑揚的音調，或經常激動的高談闊論。我覺得我們都變了，而你變得更老成持重。也許你在山中跟孩子為伍時，會忘掉你是一個大人，你跟孩子嬉逐遊樂時，會忘掉你那不再靈巧的手腳。但在我們相遇的時刻，你卻變得心事重重，而你那頹然的表情，讓我懷疑你的心已冷卻了。

我不敢再問你，過去我們用嘴交談，現在我試著用心跟你交談。不過，我也盼望緘默過後，會出現新的話題。

果然，你不再沉默了。

「還記得吧，」你說，「上山之前，我買了很多唱片，還有歌本、吉他……上山之後，孩子跟我學

會了看故事書、唱民謠、彈吉他。那段日子，我們過得很快活，也很充實。」

你的臉色忽升忽沉，又突然改換語氣說：

「不過，孩子長大了，畢業的畢業，謀職的謀職，原只有二十幾人，現在更少了。我那滿櫥架的書和唱片，積了灰塵，電唱機故障了，吉他送給一個跛腳的孩子，民謠歌本也散落在抽屜裏。我感到好像失落了很多東西，而變成一個特別喜歡懷舊的人。」

聽你這一番敘述，無意間我也感染了你那淡然的愁緒，欲罷不能的跟你跌進幽深的惆悵裏。也許你將人間的別離看得太不尋常，而有一份深得不能割捨的心情。你所憧憬的天地，忽然少了孩子的笑聲，好像你原在翱翔的心倏地折了羽翼而不知將要飄往何處。或許已在你的心版上刻下苦楚的痕跡，但我卻不了解在這段漫長的歲月裏，你閉鎖在山中承受了多少的委屈。我想你應該再回到城裏來，在城裏有好的機會等著你，也有更多的孩子需要你。

「下山吧，」我誠意的建議你，「在山上待太久，會覺得這世界離你好遠。」

你只含首默想，對於我的話似乎聽而不聞，我禁不住數落你一句：

「你把一切都獻給山上的孩子，到底獲得什麼
回報？」

「沒有，孩子快樂，就是我獲得的回報。」

「那你還眷戀什麼？」

我知道我這句話又問得唐突了。你那微酣的眼
神一時變得嚇人的炯亮，像怒視般的衝著我說：

「這問題很可笑，你在城裏，你會眷戀城裏的
一切；而我在山裏，就不能眷戀山裏的一切？」

頃刻間我被你的話窘得無言以對。我心裏明白
，不能以短視的眼光來衡量你。可是我不忍心看你
那副幾近落寞的模樣，如果換換環境，說不定會好
些。因為你離羣索居在山上，縱然有孩子陪伴，但
你卻失去了跟親友相處的機會。假使你不想再增廣
見聞，你儘可棲居在山裏，避免俗事的煩擾。假如
你真的不須要朋友，你也儘可去過那極似隱居的生
活。這些問題如果提出來，又會引起我們之間一場
辯論，不管是我說服你或是你駁斥我，這場辯論都
不會有結果，反而會造成彼此的不快。所以我不再
說話，你也不須要聽我任何的勸告。

我們在那條不太熱鬧的街上走著，正好逢著一
陣霏霏的秋雨。忽然我想起你為何到街上來，便隨
意問你的行踪。你說回去探親，順道到街上為孩子

購買文具紙張。在你身上，我清晰的感覺到孩子已變成你生命的一部份，任誰也無法取代它。

臨別時，我問你：

「往那裏去？」

「回山上。」你說。

「什麼時候搬下山？」

「也許很久以後。」

隔著霏雨，望著你走遠的背影，不禁想起當初你揹著一大箱書籍上山的情景，那時也下著細雨。你興奮的對我說：「當你厭倦城裏的生活時，歡迎到山上來。」我沒有回話，你逕自走離我的視線之外，從此我們斷了音訊，儘留給我無窮的回憶。而後幾度夢見巴山夜雨，我們剪燭相對，待夢醒時你又遠在天邊，賸下我孤寂的咀嚼夢中的情境。這次遇見你，又目送你離去，還是像一場迷離的夢。想起巴山，似乎又傳來淅瀝的雨聲，把遙遠的往事喚回來，將永久的安頓在我心深處。

（刊於 1979.10.24《青年戰士報》「青年園地」／收入《追夜》）

附錄二：作者著作一覽表

一、論著

1.《詩話摘句批評研究》，臺北：文史哲，1993。

2.《秩序的探索——當代文學論述的省察》，臺北：東大，1994。

3.《文學圖繪》，臺北：東大，1996。

4.《臺灣當代文學理論》，臺北：揚智，1996。

5.《佛學新視野》，臺北：東大，1997。

6.《臺灣文學與「臺灣文學」》，臺北：生智，1997。

7.《語言文化學》，臺北：生智，1997。

8.《兒童文學新論》，臺北：生智，1998。

9.《新時代的宗教》，臺北：揚智，1999。

10.《佛教與文學的系譜》，臺北：里仁，1999。

11.《思維與寫作》，臺北：五南，1999。

12.《中國符號學》，臺北：揚智，2000。

13.《文苑馳走》，臺北：文史哲，2000。

14.《作文指導》，臺北：五南，2001。

15.《後宗教學》，臺北：五南，2001。

16.《故事學》，臺北：五南，2002。

17.《死亡學》，臺北：五南，2002。

18.《閱讀社會學》，臺北：揚智，2003。

19.《文學理論》，臺北：五南，2004。

20.《語文研究法》，臺北：洪葉，2004。

21.《創造性寫作教學》，臺北：萬卷樓，2004。

22.《後佛學》，臺北：里仁，2004。

23.《後臺灣文學》，臺北：秀威，2004。

24.《身體權力學》，臺北：弘智，2005。

25.《靈異學》，臺北：洪葉，2006。

26.《語用符號學》，臺北：唐山，2006。

27.《紅樓搖夢》，臺北：里仁，2007。

28.《語文教學方法》，臺北：里仁，2007。

29.《走訪哲學後花園》，臺北：三民，2007。

30.《佛教的文化事業——佛光山個案探討》，臺北：秀威，2007。

31.《轉傳統為開新——另眼看待漢文化》，臺北：秀威，2008。

32.《從通識教育到語文教育》，臺北：秀威，2008。

33.《文學詮釋學》，臺北：里仁，2009。

34.《反全球化的新語境》，臺北：秀威，2010

。

35.《文學概論》，新北：揚智，2011。

36.《語文符號學》，上海：東方，2011。

37.《生態災難與靈療》，臺北：五南，2011。

38.《華語文教學方法論》，臺北：新學林，2011
。

39.《文化治療》，臺北：五南，2012。

40.《華語文文化教學》，新北：揚智，2012。

41.《文學經理學》，臺北：五南，2016。

42.《文學動起來——一個應時文創的新藍圖》
，臺北：秀威，2017。

43.《解脫的智慧》，臺北：華志，2017。

44.《走出新詩銅像國》，臺北：華志，2019。

45.《跟君子有約：在全球化風險中找出路》，
臺北：華志，2020。

46.《靈異語言知多少》，臺北：華志，2020。

47.《新說紅樓夢》，臺北：華志，2020。

48.《《莊子》一次看透》，臺北：華志，2020。

49.《君子學：後全球化時代的希望工程》，臺
北：華志，2021。

50.《寫作新解方》，臺北：華志，2021。

51.《《周易》一次解密》，臺北：華志，2021。

52.《諸子臺北學》，臺北：華志，2022。
53.《靈異藝術學》，臺北：華志，2023。

二、詩集

1.《蕪情》，臺北：詩之華，1998。
2.《七行詩》，臺北：文史哲，2001。
3.《未來世界》，臺北：文史哲，2002。
4.《我沒有話要說——給成人看的童詩》，臺北：秀威，2007。
5.《又有詩》，臺北：秀威，2007。
6.《又見東北季風》，臺北：秀威，2007。
7.《剪出一段旅程》，臺北：秀威，2008。
8.《新福爾摩沙組詩》，臺北：秀威，2009。
9.《銀色小調》，臺北：秀威，2010。
10.《飛越抒情帶》，臺北：秀威，2011。
11.《游牧路線——東海岸愛戀赤字的旅行》，臺北：秀威，2012。
12.《意象跟你去遨遊》，臺北：秀威，2012。
13.《流動偵測站——列車上的吟詩旅人》，臺北：秀威，2016。
14.《詩後三千年》，臺北：秀威，2017。
15.《重組東海岸》，臺北：秀威，2018。

16.《絕句詩變身秀》，臺北：華志，2022。

17.《湖它一把：東海岸最詩的傳奇》，臺北：
華志，2022。

三、散文集

1.《追夜》（附錄小說），臺北：文史哲，1999
。

2.《酷品味：許一個有深度的哲學化人生》，臺
北：華志，2018。

3.《散到家：徹底化散文演出實錄》，臺北：華
志，2023。

4.《驚帆報到：一段銀色的黌舍生涯》（間收錄
詩），臺北：華志，2023。

四、小說集

1.《瀰來瀰去──跨域觀念小小說》，臺北：華
志，2019。

2.《叫我們哲學第一班》，臺北：華志，2021。

五、傳記

1.《走上學術這條不歸路》，新北：生智，2016

驚帆報到：一段銀色的黌舍生涯

。

六、雜文集

1.《微雕人文——歷世與渡化未來的旅程》，臺
北：秀威，2013。

2.《風有話要說：一個東海岸新隱士的札記》
，臺北：華志，2022。

七、編撰

1.《幽夢影導讀》，臺北：金楓，1990。

2.《舌頭上的蓮花與劍——全方位經營大志典
：言辭卷》，臺北：大人物，1994。

八、合著

1.《中國文學與美學》（與余崇生、高秋鳳、陳
弘治、張素貞、黃瑞枝、楊振良、蔡宗陽、
劉明宗、鍾屏蘭等合著），臺北：五南，2000
。

2.《臺灣文學》（與林文寶、林素玟、林淑貞、
張堂錡、陳信元等合著），臺北：萬卷樓，2001
。

3.《閱讀文學經典》（與王萬象、董恕明等合著

　），臺北：五南，2004。

4.《新詩寫作》（與王萬象、許文獻、簡齊儒、
　董恕明、須文蔚等合著），臺北：秀威，2009
　。

國家圖書館出版品預行編目資料

驚帆報到：一段銀色的黌舍生涯 / 周慶華著.
-- 初版. -- 臺北市：華志文化事業有限公司,
2023.07 面； 公分. -- (冷知識 ; 03)
ISBN 978-626-97410-1-4(平裝)

863.55 112007925

華志文化事業有限公司

系列／冷知識 03
書名／驚帆報到：一段銀色的黌舍生涯

作　者　周慶華
執　行　編　輯　楊雅婷
封　面　設　計　王志強
文　字　校　對　陳欣欣
企　劃　執　行　康敏才
總　編　輯　陳麗貴
社　長　吳有志
出　版　者　華志文化事業有限公司
電子信箱　huachihbook@yahoo.com.tw
地　址　116 台北市文山區興隆路四段九十六巷三弄六號四樓
電　話　0937075060

總　經　銷　商　旭昇圖書有限公司
地　址　235 新北市中和區中山路二段三五二號二樓
電　話　02-22451480
傳　真　02-22451479
郵　政　劃　撥　戶名：旭昇圖書有限公司（帳號：12935041）

書　號　G703
出　版　日　期　西元二〇二三年七月初版第一刷

PRINT IN TAIWAN

華志文化